Um cer

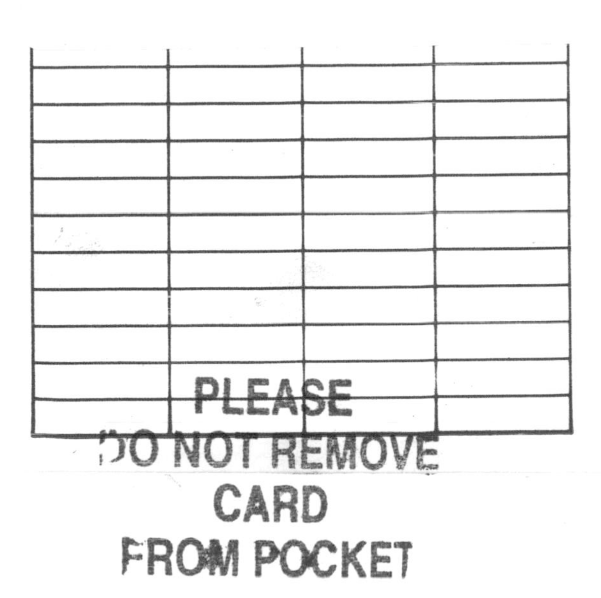

Erico Verissimo

Um certo capitão Rodrigo

19ª reimpressão

Texto fixado pelo Acervo Literário de Erico Verissimo (PUC-RS) com base na edição princeps, *sob coordenação de Maria da Glória Bordini.*

Grafia atualizada segundo o Acordo Ortográfico da Língua Portuguesa de 1990, que entrou em vigor no Brasil em 2009.

CAPA E PROJETO GRÁFICO Raul Loureiro

FOTO DA CAPA Luiz Carlos Felizardo [Cerro dos Azevedo, Bagé, RS]

FOTO DE ERICO VERISSIMO Leonid Streliaev

SUPERVISÃO EDITORIAL Flávio Aguiar

TEXTO FINAL E CRONOLOGIA Flávio Aguiar

PESQUISA Anita de Moraes

PREPARAÇÃO Cristina Yamazaki

REVISÃO Renato Potenza Rodrigues e Maysa Monção

Os personagens e as situações desta obra são reais apenas no universo da ficção; não se referem a pessoas e fatos concretos, e sobre eles não emitem opinião.

1ª edição, 1973 (40 reimpressões)
2ª edição, 2001
3ª edição, 2005

Dados Internacionais de Catalogação na Publicação (CIP)
(Câmara Brasileira do Livro, SP, Brasil)

Verissimo, Erico, 1905-1975.
Um certo capitão Rodrigo / Erico Verissimo. — 3ª. ed. —
São Paulo : Companhia das Letras, 2005.

ISBN 978-85-359-0598-4

1. Romance brasileiro I. Título.

04-8492 CDD-869.93

Índice para catálogo sistemático:
1. Romances : Literatura brasileira 869.93

[2012]

EDITORA SCHWARCZ S.A.
Rua Bandeira Paulista 702 cj. 32
04532-002 – São Paulo – SP
Telefone: (11) 3707-3500
Fax: (11) 3707-3501
www.companhiadasletras.com.br
www.blogdacompanhia.com.br

Sumário

Um certo capitão Rodrigo

I

Toda a gente tinha achado estranha a maneira como o cap. Rodrigo Cambará entrara na vida de Santa Fé. Um dia chegou a cavalo, vindo ninguém sabia de onde, com o chapéu de barbicacho puxado para a nuca, a bela cabeça de macho altivamente erguida, e aquele seu olhar de gavião que irritava e ao mesmo tempo fascinava as pessoas. Devia andar lá pelo meio da casa dos trinta, montava um alazão, trazia bombachas claras, botas com chilenas de prata e o busto musculoso apertado num dólmã militar azul, com gola vermelha e botões de metal. Tinha um violão a tiracolo; sua espada, apresilhada aos arreios, rebrilhava ao sol daquela tarde de outubro de 1828 e o lenço encarnado que trazia ao pescoço esvoaçava no ar como uma bandeira. Apeou na frente da venda do Nicolau, amarrou o alazão no tronco dum cinamomo, entrou arrastando as esporas, batendo na coxa direita com o rebenque, e foi logo gritando, assim com ar de velho conhecido:

— Buenas e me espalho! Nos pequenos dou de prancha e nos grandes dou de talho!

Havia por ali uns dois ou três homens, que o miraram de soslaio sem dizer palavra. Mas dum canto da sala ergueu-se um moço moreno, que puxou a faca, olhou para Rodrigo e exclamou:

— Pois dê!

Os outros homens afastaram-se como para deixar a arena livre, e Nicolau, atrás do balcão, começou a gritar:

— Aqui dentro não! Lá fora! Lá fora!

Rodrigo, porém, sorria, imóvel, de pernas abertas, rebenque pendente do pulso, mãos na cintura, olhando para o outro com um ar que era ao mesmo tempo de desafio e simpatia.

— Incomodou-se comigo? — perguntou, jovial, examinando o rapaz de alto a baixo.

— Não sou de briga, mas não costumo aguentar desaforo.

— Oôi bicho bom!

Os olhos de Rodrigo tinham uma expressão cômica.

— Essa sai ou não sai? — perguntou alguém do lado de fora, vendo que Rodrigo não desembainhava a adaga.

O recém-chegado voltou a cabeça e respondeu calmo:

— Não sai. Estou cansado de pelear. Não quero puxar arma pelo menos por um mês. — Voltou-se para o homem moreno e, num tom sério e conciliador, disse: — Guarde a arma, amigo.

O outro, entretanto, continuou de cenho fechado e faca em punho. Era um tipo indiático, de grossas sobrancelhas negras e zigomas salientes.

— Vamos, companheiro — insistiu Rodrigo. — Um homem não briga debalde. Eu não quis ofender ninguém. Foi uma maneira de falar...

Depois de alguma relutância o outro guardou a arma, meio desajeitado, e Rodrigo estendeu-lhe a mão, dizendo:

— Aperte os ossos.

O caboclo teve uma breve hesitação, mas por fim, sempre sério, apertou a mão que Rodrigo lhe oferecia.

— Agora vamos tomar um trago — convidou este último.

— Mas eu pago — disse o outro.

Tinha lábios grossos, dum pardo avermelhado e ressequido.

— O convite é meu.

— Mas eu pago — repetiu o caboclo.

— Está bem. Não vamos brigar por isso.

Aproximaram-se do balcão.

— Duas caninhas! — pediu Rodrigo.

Nicolau olhava para os dois homens com um sorriso desdentado na cara de lua cheia, onde apontava uma barba grossa e falha.

— É da boa — disse ele, abrindo uma garrafa de cachaça e enchendo dois copinhos.

Houve um silêncio durante o qual ambos beberam: o moço em pequenos goles e Rodrigo dum sorvo só, fazendo muito barulho e por fim estralando os lábios.

Tornou a pôr o copo sobre o balcão, voltou-se para o homem moreno e disse:

— Meu nome é Rodrigo Cambará. Como é a sua graça?

— Juvenal Terra.

— Mora aqui no povo?

— Moro.

— Criador?

O outro sacudiu a cabeça negativamente.

— Faço carreteadas daqui pro Rio Pardo e de lá pra cá.

— Mais um trago?

— Não. Sou de pouca bebida.

Rodrigo tornou a encher o copo, dizendo:

— Pois comigo, companheiro, a coisa é diferente. Não tenho meias medidas. Ou é oito ou oitenta.

— Hai gente de todo o jeito — limitou-se a dizer Juvenal.

Rodrigo olhou para o vendeiro.

— Como é a sua graça mesmo, amigo?

— Nicolau.

— Será que se arranja por aí alguma coisa de comer?

Nicolau coçou a cabeça.

— Posso mandar fritar uma linguiça.

— Pois que venha. Sou louco por linguiça!

O capitão tomou seu terceiro copo de cachaça. Juvenal, que o observava com olhos parados e inexpressivos, puxou dum pedaço de fumo em rama e duma pequena faca e ficou a fazer um cigarro.

— Pois le garanto que estou gostando deste lugar — disse Rodrigo. — Quando entrei em Santa Fé, pensei cá comigo: capitão, pode ser que vosmecê só passe aqui uma noite, mas também pode ser que passe o resto da vida...

— E o resto da vida pode ser trinta anos, três meses ou três dias... — filosofou Juvenal, olhando os pedacinhos de fumo que se lhe acumulavam no côncavo da mão.

E, quando ergueu a cabeça para encarar o capitão, deu com aqueles olhos de ave de rapina.

— Ou três horas... — completou Rodrigo. — Mas por que é que o amigo diz isso?

— Porque vosmecê tem um jeito atrevido.

Sem se zangar, mas com firmeza, Rodrigo retrucou:

— Tenho e sustento o jeito.

— Por aqui hai também muito homem macho.

Houve um silêncio desconfiado. Juvenal pôs de lado a faca e ficou a amaciar o fumo apertando-o na palma da mão esquerda com o lado da direita.

Um cheiro de linguiça frita espalhava-se no ar. Rodrigo sorriu e começou a bater com a mão espalmada no balcão.

— Como é, amigo Nicolau, essa linguiça vem ou não vem?

Do fundo da casa, o vendeiro respondeu:

— Tenha paciência, patrício.

Rodrigo voltou-se para Juvenal:

— Então vosmecê acha que não posso passar aqui nem três horas.

— Não foi bem isso que eu disse.

— Mas deu a entender.

— Mais ou menos.

— E por quê?

— Tudo pode acontecer, não pode?

— Quer dizer que hai valentões por acá. E decerto eles vão se estranhar comigo...

— Mais ou menos...

Agora Juvenal alisava a palha com a lâmina da faca, pachorrento. Seus olhos continuavam ainda postos no estranho, avaliando-o. Achava engraçada aquela combinação de bombacha e casaco de soldado. Implicava um pouco com o lenço vermelho. Aquele violão a tiracolo também lhe inspirava desconfiança. Nunca tivera simpatia por homem que vive gauderiando. Enfim, é preciso haver de tudo um pouco neste mundo — concluiu.

Começou a falar em coisas vagas: o tempo, as colheitas, uma carreira que ia realizar-se dali a uma semana... Mas estava ansioso para saber quem era aquele tal cap. Rodrigo, e de onde tinha vindo. Que era prosa, logo se via; que era fanfarrão, não restava a menor dúvida. Tinha entrado ali altivo e provocante, mas não sustentara a provocação. Porque não queria brigar debalde? Ou porque era medroso? Não. Juvenal conhecia bem homem e cavalo. Aquele homem não era covarde.

— Está na mesa! — gritou Nicolau. — Venha entrando.

— Vamos comer alguma coisa? — convidou Rodrigo, puxando Juvenal pelo braço.

— Já almocei.

— Mas venha dar uma prosa.

Juvenal foi. Sentaram-se a uma mesa de pinho, sebosa e sem toalha, e sobre a qual estava um prato onde se enroscava uma linguiça tostada e fumegante, ao lado duma farinheira de pau transbordante de farofa.

Rodrigo começou a trinchar a linguiça com alegria. Juvenal bateu o isqueiro, acendeu o cigarro, tirou duas tragadas e ficou a observar o forasteiro. Já começava a achar que ele tinha uma cara simpática. Só o jeito de olhar é que não era lá muito agradável: havia naqueles olhos muito atrevimento, muita prosápia e assim um ar de superioridade. Depois, Juvenal sempre desconfiara de homem de olho azul... No entanto, podia jurar que nunca vira cara de macho mais insinuante. Os cabelos do capitão eram meio ondulados e dum castanho-escuro com uns lampejos assim como de fundo de tacho ao sol. O nariz era reto e fino, os beiços dum vermelho úmido, meio indecente, e o queixo voluntarioso. Fumando em calma, Juvenal observava Rodrigo, que mastigava com gosto, o bigode já respingado de farofa.

— Quase que nos estranhamos, hein, amigo Juvenal?

— É verdade...

Com a boca cheia, meio atirado para trás na cadeira de assento de palha, Rodrigo olhou bem nos olhos do outro e perguntou, afrouxando o nó do lenço:

— A moçada da terra gosta de jogar cartas?

— Alguns gostam.

— E o amigo?

— Eu não jogo.

— Nunca jogou?

— Nunca.

— Pois perdeu metade da sua vida. A gente precisa experimentar de tudo.

— Hai pessoas de todo jeito.

— Pelo que vejo, o amigo é um homem sem vícios.
— Nem tanto.
— É casado?
— Sou.
— Com moça da terra?
— Vosmecê até parece vigário.
— Faz algum mal perguntar?
— Mal não faz.

Houve uma pausa longa, em que Rodrigo se atirou com apetite à linguiça. A cabeça da mulher de Nicolau apontou num vão de porta, e seus olhinhos curiosos e assustados ficaram espiando o desconhecido por um instante. Rodrigo ergueu para ela os olhos atrevidos e a cabeça desapareceu, num movimento de ave assustada.

— Hai muitas moças bonitas neste povo?
— Algumas.
— Não me refiro só a moças de família...

Juvenal verrumava o outro com olhos miúdos, calado como se não tivesse ouvido a pergunta. Rodrigo tirou da linguiça um espinho verde de laranjeira e, erguendo-o no ar, esclareceu:

— Faz dois meses que não tenho mulher...

O cigarro de palha estava colado ao lábio inferior de Juvenal, que tinha a boca entreaberta e uma expressão de desconfiança nos olhos. Ficou assim algum tempo e depois falou, vagaroso:

— Amigo, acho que vosmecê não vai esquentar lugar em Santa Fé.
— Quem foi que lhe contou?
— Eu é que acho.
— Por quê?

Rodrigo levou à boca o último pedaço de linguiça, tendo primeiro o cuidado de esfregá-lo demoradamente na farofa.

— Aqui todas as mulheres têm dono — explicou Juvenal Terra. — As que ainda não têm são moças de família e querem se casar.

Rodrigo mastigava ruidosamente, escutando. O outro continuou:

— E é melhor eu ir lhe avisando, capitão, a gente desta terra é de boa paz, mas não gosta que ninguém venha lhe pisar no poncho...
— Mas eu não vou pisar no poncho de ninguém, companheiro!
— Às vezes a gente pisa sem querer.

Rodrigo encolheu os ombros, empurrou o prato vazio para o centro da mesa e gritou:

— Nicolau!

Quando o vendeiro apareceu, o capitão perguntou:

— Tem sobremesa?

— Tem pessegada com queijo.

— Então traga. Gosto de tudo.

Nicolau voltou para a cozinha, enquanto Rodrigo ficou palitando os dentes com o espinho. Juvenal pensou em erguer-se e sair; não sabia por que continuava ali, conversando com aquele forasteiro. Sentia por ele uma atração inexplicável. Tinha vontade de saber mais do passado daquele homem. Não era seu feitio bisbilhotar a vida dos outros, mas achava também que não fazia nenhum mal perguntar àquele cristão de onde vinha, já que ele lhe fizera tantas indagações.

— Ainda que mal pergunte — começou, batendo o isqueiro para acender o cigarro que se apagara —, donde vem o amigo?

Rodrigo fez um gesto largo e respondeu:

— Venho de muitas guerras.

— Andou pela Banda Oriental?

— Se andei pela Banda Oriental? Mais duma vez.

Nicolau trouxe a sobremesa num pires trincado, com um garfo sem cabo. Rodrigo preferiu usar a própria adaga. Tirou-a da bainha e cortou com ela um pedaço de pessegada, depois um naco de queijo, espetou-os ambos na ponta da arma e levou-os à boca.

— Sentei praça com dezoito anos e em 1811 andei com as forças que invadiram a Banda Oriental.

— E que tal foi a coisa?

Rodrigo encolheu os ombros.

— Não foi das piores. Deu pra gente se divertir.

— Meu pai esteve também nessa guerra.

— Como é o nome dele?

— Pedro Terra.

— Nunca ouvi falar.

— Mas ele esteve — afirmou Juvenal, num tom quase agressivo.

— Está bem. Não desminto. Só disse que não conheço o nome.

Uma curta pausa.

— Entrei em Montevidéu em 1817 com as forças do general Lecor — prosseguiu o capitão. — As castelhanas são mui lindas. — Sorriu. — Houve uma noite que eu fui para o quarto com três. E dei conta do recado. Tinha nesse tempo vinte e poucos anos...

Juvenal não disse nada. Depois dum curto silêncio falou:

— Meio feio a gente invadir a terra dos outros, não?

— Não tivemos a culpa. O governo da Banda Oriental pediu a proteção do nosso. Estava malito, porque o Artigas andava fazendo estripulias por lá.

— A verdade é que nós acabamos tomando conta da terra deles.

— Águas passadas...

— Mas muita gente boa morreu.

— Hai gente demais no mundo... Mas, como eu ia le dizendo, em princípios de 21 eu era tenente e estava na guarnição de Porto Alegre quando soubemos dos acontecimentos de Portugal.

— Que acontecimentos?

— A revolução do Porto.

— Não ouvi falar nada...

— Ora, a portuguesada disse que não queria saber mais dessa história do rei mandar e desmandar sem dar satisfação a ninguém. Queriam que ele jurasse uma constituição.

— Me desculpe. Mas nunca ouvi falar nesse negócio. Sou um homem rude.

— Constituição é... — Rodrigo calou-se, embaraçado, e começou a fazer gestos, como se estes pudessem substituir as palavras. — ... é um papel, um regulamento que um país tem, dizendo todas as coisas... vosmecê sabe... todas as leis... um negócio desses... compreende?

Juvenal mirava-o em silêncio, com sua cara inexpressiva, o olhar morto.

— Seja como for, a junta governativa de Porto Alegre não estava muito disposta a jurar a tal constituição... Ora, chegaram notícias que nas outras capitanias havia barulho. Por toda a parte se falava em revolta.

— Mas contra quem era o barulho?

— Contra o governo.

— Mas por quê?

— Ora... — E Rodrigo comeu os últimos pedaços de pessegada e queijo. — Eu sempre digo, se é contra o governo podem contar comigo.

— Mas o governo às vezes pode ter razão.

— Mesmo que tenha, isso não vem ao caso. Governo é governo e sempre é divertido ser contra.

Juvenal sacudiu a cabeça devagarinho. Não sabia que opinião formar daquele homem, nem até que ponto podia acreditar no que ele lhe contava. Precisava levantar-se e ir embora. Não era nenhum índio vadio que pudesse ficar numa venda conversando à toa. Havia, porém, algo que o impedia de mover-se. Ele se interessava pelo que o outro dizia; gostava da maneira como o capitão falava, mesmo que suas palavras às vezes o irritassem. Até a voz do diabo do homem era agradável: tinha um tom grave e ao mesmo tempo meio metálico.

— Pois o povo compreendeu que o triunvirato estava mas era marombando pra não jurar a constituição. Nesse ponto estourou a revolta não só do povo, como também das tropas, é claro! Lá estava o tenente Rodrigo Cambará no meio do fandango.

— Houve briga?

— Quase. Eram mais ou menos duas da madrugada quando fomos pra frente da casa do governo. Eu era da infantaria, mas levamos também umas duas bocas de fogo, porque vosmecê sabe que a artilharia sempre impõe respeito. Mas a minha arma mesmo é a cavalaria, que é outra coisa. Boca de fogo faz muito barulho e fede. A espada e a lança são armas nobres e não há coisa mais linda neste mundo que uma boa carga de cavalaria em campo aberto. Já viu alguma?

— Ainda não.

Rodrigo ficou surpreso.

— Nunca esteve numa guerra?

— Não.

— Nem numa revolução?

— Também não.

— Mas já era tempo. Quantos anos tem?

— Vinte e cinco no lombo.

— É. Já era tempo... Mas, como eu ia dizendo, o fandango estava armado. Outras forças da guarnição apareceram e os oficiais mandaram chamar o ouvidor, o juiz de fora, o... o vigário-geral e não sei quem mais.

— Eles vieram?

Rodrigo soltou uma risadinha de desdém.

— Não haviam de vir! Pois levamos aqueles graúdos todos a grito para ir buscar a gente do governo.

Fez uma pausa para tirar do bolso a palha e o fumo, que começou a picar, de olho alegre.

— E vieram? — tornou a perguntar Juvenal, só para fazer o outro continuar a narrativa.

— Vieram e juraram a constituição ali mesmo no meio da praça. O dia estava raiando, os galos cantando... Então o comandante mandou as peças darem umas salvas. Estava jurada a constituição.

Juvenal remexeu-se na cadeira, esfregou no chão os pés descalços.

— E adiantou alguma coisa?

— Não sei se adiantou ou não. O que sei é que naquele dia houve festa grossa. Rolou bebida e comida. Houve uma hora que eu senti o bucho tão cheio de vinho e churrasco que pensei que ia rebentar. Só sei que lá pelo anoitecer acordei completamente nu numa cama não sei de quem, num quarto não sei onde e ao lado duma mulher não sei de quem nem de onde.

Soltou outra risada e deu uma palmada na mesa.

— Onde é que vosmecê estava quando proclamaram a independência? — perguntou Juvenal.

— Deixe ver... — disse Rodrigo, pensativo. — Ah! Eu tinha dado baixa e andava metido em negócios de gado. Vosmecê sabe, um homem precisa fazer de tudo um pouco. Depois que tomamos a Banda Oriental a situação do nosso charque e do nosso gado melhorou, e eu ganhei um bom dinheiro fazendo tropa. Mas quando ouvi falar de novo em revolução, eu, que já andava cansado de lidar com boi, vaca e cavalo, comecei a limpar a espada e azeitar as pistolas... Andavam prendendo muito militar e eu senti que a coisa estava por estourar...

Enrolou o cigarro, acendeu-o no do Juvenal, tirou uma baforada e disse:

— Mas a independência veio e o Rio Grande aceitou logo a situação. Foi pena. Eu tinha muito português marcado...

— E que é que ia fazer com eles se houvesse mesmo guerra?

— Nada... Só ia dar um sustinho nessa gente. Não sou prevalecido e só brigo com homem que pode reagir. Mas hai sujeitos que merecem levar um bom cagaço.

De novo Juvenal pensou em seus afazeres. No dia seguinte tinha de sair com a carreta carregada para Cruz Alta, onde ia buscar açúcar, sal, fazendas e bugigangas para a estância dos Amarais e para a venda do Nicolau, que era a única da localidade. Precisava ir dar umas ordens, tomar umas providências, mas apesar de tudo isso ia ficando...

— E assim o amigo continuou a negociar com gado, não?

— Qual nada! — Rodrigo atirou os pés para cima da mesa. — Um dia fiz a mala, montei no pingo, apurei um dinheirinho e me toquei pra Porto Alegre. Fiquei lá me divertindo até gastar o último patacão.

— Hai pessoas que não se preocupam com o amanhã.

— *Mañana es otro dia*, como dizem os castelhanos.

— Quem não tem família nem obrigação pode pensar assim.

Rodrigo mamava o seu cigarrão de palha com visível delícia.

— Escuta o que vou le dizer, amigo. Nesta província a gente só pode ter como certo uma coisa: mais cedo ou mais tarde rebenta uma guerra ou uma revolução. — Atirou ambos os braços para o lado, num gesto de despreocupação. — Que é que adianta plantar, criar, trabalhar como burro de carga? O direito mesmo era a nossa gente nunca tirar o fardamento do corpo nem a espada da cinta. Trabalhar fardado, deitar fardado, comer fardado, dormir com as chinocas fardado... O castelhano está aí mesmo. Hoje é Montevidéu. Amanhã, Buenos Aires. E nós aqui no Continente sempre acabamos entrando na dança.

— Hai gente que gosta de paz.

— No entanto sempre temos guerra ou revolução...

— Dizem que na estranja é assim também.

— Nunca ouviu falar nesse tal de Bolívar que levantou o povo desses países todos da América do Sul e botou os espanhóis pra fora? Nunca ouviu falar em San Martín?

— Eu sou um homem rude — repetiu Juvenal, com uma humildade agressiva.

— Vosmecê viu também que antes de os orientais conseguirem independência tiveram de nos meter no baile?

— Por falar nisso, vosmecê também brigou em 25?

— Naturalmente. Estive naquele combate de Rincón de las Gallinas com a gente do Mena Barreto. — Soltou um suspiro e disse: — Apanhamos que nem boi ladrão.

Juvenal sorriu de leve. Mas seu sorriso foi um sorriso de canino, só de dentes; o resto da cara não participou dele, continuou numa impassibilidade sombria.

— Foi um deus nos acuda — prosseguiu o capitão. — Nossa gente se espalhou em desordem e depois foi um caro custo pra reunir de novo a soldadesca. Em 1827 eu estava com as tropas do marquês de Barbacena. Nunca vi tanta miséria. Soldados de pé no chão, sem uniforme, alguns quase nus, só cobertos pelo poncho. Eram uns diabos sujos e piolhentos, mas, justiça seja feita, na hora de brigar esqueciam a fome, o frio, tudo, e chegavam a pelear se rindo e gostando. — Cuspiu no chão com nojo. — Depois — prosseguiu — veio aquela batalha desgraçada do Passo do Rosário. Nós éramos uns cinco mil e poucos contra mais de dez mil inimigos. Nossas tropas tinham umas dez ou doze bocas de fogo; eles tinham vinte e tantas, quase trinta. Foi uma barbaridade. Brigar em campo seco é sério, mas brigar em banhado é mais sério ainda. Nossa gente estava cansada, tinha feito uma marcha puxada: os castelhanos estavam fresquitos e bem municiados. Assim mesmo peleamos onze horas sem comer nem beber água. Por falar em água, estou com sede. Nicolau! Me traga um pouco d'água fresca.

O vendeiro trouxe-lhe uma caneca de barro cheia d'água, que Rodrigo bebeu num sorvo só. Depois, enxugando os beiços com a manga do dólmã, sorriu e continuou:

— Pra le dar uma ideia da anarquia das nossas tropas, vou le dizer uns versos feitos por um alferes brasileiro, um tal de David Francisco Ferreira ou Pereira, nem me lembro direito do nome dele. Esse homem tomou parte na batalha, viu a coisa de perto. Escute.

Recitou:

Muitas chinas percorriam
Pelas margens dos banhados
Levando cada uma delas
Aos dez e doze soldados.

— Pois era mesmo! — comentou Rodrigo. — A soldadesca o que queria era dormir com as piguanchas. Mas eu me lembro de outros versos:

Se quereis ser triunfante,
Mudai desde logo a cena,
Não dês heróis combatentes
Ao cargo dum Barbacena.

— Era verdade! — exclamou o capitão. — Nunca vi pior general. Parecia que nunca tinha ouvido falar em estratégia.

Juvenal não conhecia essa palavra, mas nada disse. O outro continuou:

E assim aconteceu
Sem nada determinar.
E só entrou nessa luta
Aquele que quis entrar.

Rodrigo soltou uma risada.

— Nunca vi uma batalha mais louca. Foi bem como diz o alferes nos seus versos:

Fazendo carga no centro
Sem dar proteção aos flancos
Lá deixou bastantes mortos,
Muitos feridos e mancos.

— E vosmecê não se feriu?

Rodrigo sacudiu negativamente a cabeça.

— Só tive um bicho-de-pé arruinado. Parece mentira! Mas ouça mais esta quadra, que é a melhor de todas:

Tendo-nos sido visível
Quase inteira a perdição,
O herói Bento Gonçalves
Foi a nossa salvação.

— Mas como? — perguntou Juvenal.

— Espere que já lhe conto. O inimigo tinha invadido a Província e tomado Bagé. Barbacena estava parado com sua gente e todo mundo parecia desmoralizado, sem coragem pra dar um passo. Estávamos acampados num banhado e eu pensei cá comigo: não sou sapo pra viver em banhado. Quero mais é brigar. Comecei a resmungar e um tenente meu amigo me disse: "Capitão Rodrigo (nesse tempo eu já tinha sido promovido a capitão), vosmecê anda falando contra o comandante. Tome cuidado senão podem le mandar a conselho de guerra". Eu não disse nada mas resolvi fugir...

— Fugir? — admirou-se Juvenal.

— Falava-se muito na cavalaria de Bento Gonçalves da Silva e de Bento Manuel Ribeiro... Uma noite montei a cavalo, logrei a sentinela e me fui...

Fez uma pausa. Tirou os pés de cima da mesa, de novo apertou o lenço. Na porta a mulher do Nicolau tornou a espiar e só então, voltando a cabeça, é que Rodrigo percebeu que, na sala da frente da venda, outros homens também tinham estado a escutá-lo. Isso lhe deu um ânimo novo. Quando voltou a falar foi com voz mais forte e numa inflexão mais dramática.

— Me juntei com a cavalaria dos dois Bentos. Aquilo é que é gente, amigo. Barbaridade! Que cavaleiros! Levamos a castelhanada a grito e a ponta de lança até a fronteira. Depois tivemos umas escaramuças mais, até que veio a paz.

Juvenal ergueu-se e Rodrigo fez o mesmo.

— Vosmecê já viu peixe fora d'água? Pois aqui está um. Na paz me sinto meio sem jeito.

— Quer dizer que vosmecê recém saiu da guerra.

— Ainda trago nas ventas cheiro de pólvora e sangue.

— E que é que vai fazer agora?

Rodrigo olhou em torno, de mãos na cintura, peito inflado.

— Pois nem sei. Estou gostando deste lugar...

Caminhou até a janela, olhou a praça, com a grande figueira no centro, as casas em torno e os verdes campos que circundavam o povoado. Um sol de ouro novo iluminava tudo.

Rodrigo respirou fundo e disse:

— É. Pode ser que eu fique por aqui.

Juvenal coçou a cabeça e resmungou:

— Está me palpitando que o amigo não vai se dar bem em Santa Fé.

O capitão voltou-se para o interlocutor.

— Mas por quê?

— Vosmecê é um homem de guerra. A gente deste povoado é mui pacata.

Rodrigo fez um gesto vago.

— Pode-se tentar. Não se perde nada. Se a coisa estiver muito ruim, faço a mala, monto a cavalo e caio na estrada. O mundo é muito grande.

— Grande e louco — sentenciou Juvenal.

Os homens que escutavam riram baixinho. Rodrigo olhou para eles e perguntou:

— Onde é que vou encontrar pouso para esta noite?

Ninguém falou. Mas Nicolau saiu de trás do balcão e disse:

— Se vosmecê quiser ficar aqui, tenho um quarto de hóspede. Não é lá grande coisa, mas serve.

— Estou habituado a dormir ao relento em cima dos pelegos.

Juvenal estendeu a mão, que Rodrigo prendeu na sua.

— Bom, capitão, tenho de ir andando. Juvenal Terra, seu criado.

Rodrigo olhou-o bem nos olhos.

— Capitão Rodrigo Cambará, pra servir vosmecê. Pode contar com um amigo. E quando digo que sou amigo, sou mesmo.

Juvenal fez meia-volta e encaminhou-se para a porta. Levava um mau pressentimento. Aquele homem ia trazer incômodos para Santa Fé. Por um momento a sombra duma dúvida escureceu-lhe o espírito: que era que a Maruca, sua mulher, ia sentir quando visse aquele homem? Pensou também no que diria seu pai, Pedro Terra, quando soubesse da chegada do estranho. E desejou estar presente quando Rodrigo Cambará e o cel. Ricardo Amaral Neto — o chefe político de Santa Fé — se encontrassem. Ia sair chispa: aço batendo contra aço.

Já tinha deixado a venda quando ouviu, lá dentro, a voz de Rodrigo:

— Algum dos amigos por acaso quererá jogar uma bisca comigo? Tenho um baralho na mala...

Não ouviu o resto. Caminhou para casa e — sem saber por quê —, quando a mulher lhe perguntou onde estivera, respondeu que ficara a conversar na venda do Nicolau, mas não fez a menor referência ao recém-chegado.

E aquela noite as gentes de Santa Fé ouviram música de violão na casa de Nicolau. E lá de dentro saiu uma bonita voz de homem, cantando modinhas.

Pedro Terra, que voltava da casa do vigário pouco antes das nove da noite, ao passar pela venda ouviu a voz de Rodrigo, parou e ficou escutando:

Sou valente como as armas,
Sou guapo como um leão.
Índio velho sem governo,
Minha lei é o coração.

Pedro Terra começou a sentir, desde o primeiro momento, uma inexplicável antipatia pelo dono daquela voz — um homem cuja cara ainda não vira nem desejava ver.

2

No Dia de Finados Pedro Terra foi com a mulher e a filha ao cemitério para levar flores às sepulturas de seus parentes. Era uma manhã morna, de sol muito pálido. O cemitério de Santa Fé ficava no alto duma coxilha, a um quarto de légua do povoado; era cercado de pedras e as suas sepulturas todas não passavam de montículos de terra com cruzes ou então de lajes rústicas onde havia nomes gravados com letras singelas. Só havia uma que tinha a forma de capela e era de tijolo rebocado e caiado: o jazigo perpétuo da família Amaral. Lá estavam, entre outros, os restos mortais do cel. Ricardo Amaral, que morrera às margens do Jaguarão lutando contra os castelhanos, e os de seu filho Francisco Amaral, fundador de Santa Fé. E esse jazigo destacava-se com tamanha imponência no meio daquelas sepulturas quase rasas que era como se até depois de mortos os Amarais, famosos por serem homens altos e autoritários, continuassem a dominar os outros, a falar-lhes e dar-lhes ordens de cima de seus cavalos.

Numa das cruzes havia um nome e uma pequena inscrição:

ANA TERRA
Descansa em Paz

Não havia datas. Esse era um característico das gentes daquele lugar: ninguém sabia muito bem do tempo. Os únicos calendários que existiam no povoado eram o da casa dos Amarais e o do vigário, o pe. Lara. Os outros moradores de Santa Fé continuavam a marcar a passagem do ano pelas fases da lua e pelas estações. E quando queriam lembrar-se dum fato, raramente mencionavam o ano ou o mês em que ele se tinha passado, mas ligavam-no a um acontecimento marcante na vida da comunidade. Diziam, por exemplo, que tal coisa tinha acontecido antes ou depois da praga de gafanhotos, dum inverno especialmente rigoroso que fizera gelar a água das lagoas ou então duma peste qualquer que atacara o trigo, o gado ou as pessoas. Muitos sabiam de cor o ano das muitas guerras. Os velhos diziam "Foi na guerra de 1800..." ou "Foi na de 1811... ou 1816... ou 1825". Mas no espírito da maioria, principalmente no das mulheres — que faziam o possível para esquecer as guerras —, essas datas se misturavam. Era por isso que o túmulo de Ana Terra não tinha datas. Ninguém sabia em que ano ela nascera; todos, porém, se lembravam de que a velha morrera exatamente no dia em que chegara a Santa Fé a notícia de que os 33 de Lavalleja tinham invadido a Cisplatina...

Diante daquele túmulo, naquela manhã de princípios de novembro, achavam-se Pedro Terra, sua mulher, Arminda, e Bibiana, a filha do casal. De chapéu na mão, os cabelos grisalhos esvoaçando à brisa, Pedro olhava para a cruz e lembrava-se dum dia — havia muitos anos — em que tinham vindo enterrar naquele mesmo cemitério um dos habitantes do povoado que morrera com os intestinos furados pelas guampas dum touro bravo. Por sinal o enterro fora numa tarde de soalheira medonha, e os homens que carregaram o caixão a pulso tinham as roupas ensopadas de suor. Ana Terra fizera questão de ir ao cemitério, apesar do mormaço, e Pedro, que conhecia a teimosia da mãe, sabia que era inútil contrariá-la. Ficara a velha à sombra dum cedro, no centro do cemitério, apoiada no braço do filho, e no momento em que baixaram o caixão à cova, ela murmurou:

— Meu pai e meu irmão foram enterrados no alto duma coxilha. — Mostrou-lhe as mãos murchas. — Eu mesma enterrei os dois com estas mãos que a terra um dia há de comer... esta terra. — E apontava para o chão vermelho. — Quero ser enterrada aqui, meu filho, aqui debaixo deste cedro.

A terra caía sobre o caixão com um som cavo, quase musical.

— Não quero que ninguém chore — continuava a velha. — Não é

preciso costurarem nenhuma mortalha pra mim. Qualquer vestido serve. Mas quero que vosmecê prometa que ninguém vai ver a minha cara no velório. Promete?

— Não diga essas coisas, mamãe — repreendia-a Pedro. Mas ela apertava o braço do filho, sacudia a cabeça completamente branca, sorrindo um sorriso em que a boca desdentada sugava os lábios, fazendo-os dobrarem-se sobre as gengivas.

— Promete? — insistia ela. — Promete?

Ele não teve outro remédio senão sacudir a cabeça e dizer "Prometo".

— Está bem, meu filho. Eu também prometo uma coisa. Prometo nunca mais voltar depois de morta para trabalhar na roca, como a minha mãe fazia. — Fez uma pausa, olhou fixamente para a cova e depois disse, rindo o seu riso guinchado: — Mas o hábito tem muita força. O melhor mesmo é vosmecê também enterrar a roca junto comigo. Assim eu livro a Bibiana da sina de trabalhar nela.

Agora Pedro Terra olhava para a cruz e pensava nessas coisas. Pensava também na vida trabalhosa e triste que a mãe sempre levara, e, erguendo os olhos para Bibiana, ficou a contemplá-la com uma mistura de carinho e pena. Que destino estava reservado para aquela criaturinha de Deus? Ele fazia tudo para que ela fosse feliz, trabalhava como um mouro para que nunca faltasse nada à família. Fora infeliz nos negócios, mas não por culpa sua. E agora, já na casa dos cinquenta, ainda trabalhava como um moço de vinte, não que quisesse fazer da filha uma dessas mulheres sem serventia que passam o dia dormindo, comendo e passeando; o que ele não queria era que um dia ela fosse obrigada a trabalhar como uma escrava para ganhar seu sustento.

Arminda ajoelhou-se e começou a arrancar as ervas daninhas que cresciam sobre a sepultura da sogra. Bibiana depositou no pé da cruz a braçada de margaridas amarelas que trouxera e ficou acompanhando com os olhos as formigas que caminhavam numa fila interminável, carregando pequenos fragmentos de folhas e de grama.

Bibiana tinha um rosto redondo, olhos oblíquos e uma boca carnuda em que o lábio inferior era mais espesso que o superior. Havia em seus olhos, bem como na voz, qualquer coisa de noturno e aveludado. Os forasteiros que chegavam a Santa Fé e deitavam os olhos nela, ao saberem-na ainda solteira, exclamavam: "Mas que é que a rapaziada desta terra está fazendo?". E então ouviam histórias... Bento Amaral, filho do cel. Ricardo Amaral Neto, senhor dos melhores e mais vastos campos dos arredores do povoado, andava apaixonado pela menina, tinha-se declarado mais de uma vez, mas a moça não queria saber dele.

— O herdeiro do velho Amaral? — estranhavam os forasteiros.

— Sim, senhor.

— Mas o moço é aleijado?

— Qual nada! É até um rapagão mui guapo.

Ninguém conseguia compreender. As outras moças invejavam Bibiana Terra e não entendiam como era que ela, não sendo rica, rejeitava o melhor partido de Santa Fé, aquele moço bonitão a quem elas de muito bom grado diriam sim no momento em que ele se declarasse. Mas quem ficava mais perplexo que qualquer outra pessoa era o próprio Pedro Terra, que não atinava com uma explicação para a atitude da filha. Ele não morria de amores pelos Amarais. Tinha até queixas do velho Ricardo, que lhe tirara as terras e se recusara a ajudá-lo quando o trigo fora águas abaixo. Além disso, achava os Amarais prepotentes, vaidosos, gananciosos, e também sabia que Ricardo não fazia muito gosto no casamento do filho com Bibiana, pois queria que o rapaz casasse com alguma moça rica de Rio Grande ou Porto Alegre. Por todas essas coisas Pedro Terra não insistia com a filha para que aceitasse Bento Amaral. Mas mesmo assim não entendia e ficava vagamente inquieto com a ideia de morrer sem ver a filha casada com um homem de bem. Fosse como fosse, os Amarais eram por assim dizer os donos de Santa Fé. E Bento visitava os Terras com alguma frequência, tratava-os bem, dava presentes a Juvenal, a Arminda e principalmente a Bibiana, que os recebia sem nenhuma alegria, mal murmurando uma palavra de agradecimento, quase sempre sem olhar para o pretendente. Pedro Terra às vezes inquietava-se pensando no gênio da filha. Era voluntariosa, duma teimosia nunca vista e dum orgulho tão grande que era capaz de morrer de fome e de sede só para não pedir favor aos outros. No entanto, quem olhasse para ela julgaria, pelo seu suave aspecto exterior, estar diante da criatura mais meiga e submissa do mundo. Às vezes em casa, depois do jantar, Pedro ficava fumando junto da mesa, enquanto a mulher e a filha cerziam meias ou bordavam. Nessas horas o filho de Ana Terra olhava para Bibiana e pensava em certas coisas... A mãe lhe falava às vezes no velho Maneco Terra e em como ele era teimoso, caladão e reconcentrado. Pedro mal se lembrava do avô, mas certas ocasiões chegava quase a vê-lo nos olhos da filha e principalmente no jeito de franzir o sobrolho. Havia nela também muito da avó, principalmente a voz. Bibiana tinha crescido à sombra de Ana Terra, com a qual aprendera a fiar, a bordar, a fazer pão e doces e principalmente a avaliar as pessoas. Depois que Ana Terra morrera, Pedro às vezes tinha a impressão de que ela continuava a falar pela boca da neta. Bibiana repetia frases da avó. Quando à noite ventava e eles estavam dentro de casa em silêncio, esperando a hora de irem para a cama, a moça de repente murmurava: "Noite de vento, noite dos mortos". Bibiana via muito os homens com os olhos desconfiados e cautelosos de Ana Terra. Pedro nunca pudera descobrir a razão por que a mãe tinha tanta malquerença pelos homens em geral. Às vezes fugia deles como o diabo da cruz. Era com frequência que falava, com má vontade e repugnância, em "cheiro de homem". Não gostava que Pedro fumasse perto dela; dizia que isso era falta de respeito, mas o filho sabia que havia uma razão mais poderosa: sarro de cigarro era "cheiro de homem". Pedro lembrava-se de que quando menino ouvira falar nas propostas de casamento que vários homens de Santa Fé haviam feito à sua mãe. Sempre que vinha das Missões um padre para dizer missa, fazer casamentos e batizados, surgia um pretendente para Ana Terra — um viúvo ou um solteirão de meia-idade. Ela repelia-o, indignada, como se lhe tivessem feito uma proposta indecorosa. Pedro não compreendia e às vezes ficava a pensar que espécie de pessoa teria sido seu pai para que Ana vivesse assim tão ressabiada de homem.

Devia ser por influência da avó que Bibiana tinha tanta aversão ao casamento. Era na certa por isso que rejeitava as propostas de Bento Amaral.

E agora ali no cemitério, diante do túmulo de Ana Terra, Pedro contemplava a filha e via-lhe no rosto uma expressão de grande tristeza, enquanto ela olhava para a sepultura da avó.

Pedro Terra tomou do braço da esposa e levou-a consigo em silêncio, para depositar flores no túmulo de três de seus filhos que haviam morrido quando ainda adolescentes: um afogado, outro de bexigas e o terceiro de bala perdida, por ocasião duma briga, num dia de carreiras.

Bibiana ficou sozinha mas não deu por isso. Olhava para as formigas que entravam num buraco que havia sobre a sepultura. Imaginava que aqueles bichinhos penetravam na terra e estavam passeando pelo corpo de sua avó. Quis afastar esse pensamento; sabia que agora já não devia haver nenhuma carne naquele corpo: aquela face querida era apenas uma caveira. Lágrimas começaram a brotar-lhe dos olhos. Depois que a velha morrera, Bibiana se sentira muito desamparada. Costumava confiar-lhe seus segredos e as duas muitas vezes ficavam horas inteiras conversando, costurando, fazendo marmelada ou enchendo linguiça. A avó contava-lhe coisas do tempo em que era moça e morava com a família numa estância perdida no campo, lá para as bandas do Botucaraí. Agora a velhinha estava morta e Bibiana não tinha mais a quem confiar suas mágoas e suas dúvidas. Não se entendia muito bem com a mãe; achava-a boa, sim, serviçal, não havia dúvida, mas muito parada, muito... sem histórias para contar. O pai, esse era um pouco fechado e inspirava-lhe um respeito que quase chegava a ser temor.

Bibiana olhava fixamente para a sepultura. A luz do sol, que passava por dentro dos ramos do grande cedro, pintava-lhe o rosto de amarelo. As sombras das cruzes eram arroxeadas contra a terra vermelha. Um joão-de--barro que tinha o seu ninho na forquilha onde o tronco da árvore se dividia meteu a cabeça para fora de sua casa, como para espiar aquela gente que visitava seus mortos. Sons indistintos de vozes chegavam aos ouvidos de Bibiana, que de repente percebeu que os pais se tinham afastado.

Havia no cemitério àquela hora outras pessoas do povoado — homens, mulheres e crianças — e por entre elas e as cruzes a moça começou a procurar os pais com o olhar. Foi então que uma figura lhe chamou subitamente a atenção. Era um homem vestido duma maneira esquisita, metade de soldado, metade de paisano. Estava parado a contemplá-la, a pequena distância. Tinha ele no pescoço um lenço encarnado e quando Bibiana caiu em si estava olhando com espanto para a cara do desconhecido. Sentiu uma coisa esquisita: primeiro foi surpresa, depois constrangimento. Suas orelhas e faces começaram a arder. Ela baixou os olhos, ajoelhou-se automaticamente e pôs-se a mexer nas margaridas ao pé da cruz, só para disfarçar seu embaraço. Mas com o rabo dos olhos viu que o homem ainda estava no mesmo lugar e continuava a olhar para ela. Seu corpo foi tomado duma sensação estranha, uma espécie de medo de que ele lhe viesse falar. Era também uma cócega quente, como se aquelas formigas todas lhe estivessem passeando pelo corpo. O melhor era correr para o pai antes que o desconhecido se aproximasse. Quem seria ele? Um forasteiro, talvez... E o que mais aumentava o embaraço de Bibiana era o fato de ela estar com os olhos cheios de lágrimas. Ouviu um bater de asas: o joão-de-barro sobre sua cabeça... O homem deu um passo à frente, na sua direção. Bibiana ergueu-se, alvorotada, e correu para onde estavam o pai e a mãe.

Rodrigo Cambará seguiu com o olhar a moça de vestido de cassa azul e lenço na cabeça. Achara-a tão bonita que tivera o desejo de dirigir-lhe a palavra, sob qualquer pretexto. Podia perguntar-lhe de quem era a sepultura diante da qual estava ajoelhada. Ou simplesmente começar dizendo: "Bonito dia, não?". Tinha gostado da cara da rapariga. Mais que isso: tinha ficado excitado. Não era homem que se deixasse fascinar facilmente. Gostava de mulher, isso gostava... Mas nunca — que se lembrasse — tinha ficado tão impressionado por nenhuma assim à primeira vista.

Viu a moça de azul correr, quase pisando as sepulturas, na direção dum casal. Sorriu, apertou o chapéu nas mãos e resolveu aproximar-se do grupo. No fim de contas não era nenhum bicho e a coisa mais natural do mundo era uma pessoa falar com outra.

Caminhou para Pedro Terra, lentamente, de cabeça erguida, e ao distinguir as feições daquele rosto queimado teve a impressão de que elas lhe eram vagamente familiares. A moça de azul, vendo-o acercar-se, voltou-lhe bruscamente as costas. Potranquinha arisca — pensou Rodrigo. E seu interesse pela rapariga aumentou.

— Com o permisso de vosmecê, patrício! — exclamou ele, dirigindo-se a Pedro. — Sou de fora e nunca vim a este cemitério. Podia me informar de quem é aquela sepultura?

Apontou para o jazigo da família Amaral. Pedro Terra encarou o desconhecido, de sobrolho franzido, e, como quem quer cortar a conversa, respondeu, seco:

— Está escrito na porta.

Rodrigo não se deu por vencido.

— Muitas gracias, amigo. Vosmecê mora no povo?

— Moro.

Então o forasteiro descobriu com quem se parecia aquele homem de poucas palavras.

— Não será por acaso parente de Juvenal Terra?

— O Juvenal é meu filho.

— Logo vi. São mui parecidos e têm quase a mesma voz.

— Donde é que vosmecê conhece o Juvenal?

— Daqui mesmo. Somos amigos. Ele não lhe disse?

Pedro então viu com quem estava falando. Era o homem que tocava violão e cantava na venda do Nicolau. Mirou-o de alto a baixo e retrucou:

— Ele não me disse nada.

Enquanto os dois conversavam, as mulheres se tinham afastado e agora estavam paradas, de olhos baixos e em silêncio.

— Eu sou o capitão Rodrigo Cambará, criado de vosmecê.

Estendeu a mão, que Pedro segurou frouxamente, por um rápido segundo. Querendo estabelecer conversação, Rodrigo disse:

— Ouvi falar que vosmecê esteve na guerra de 1811.

— Na de 800 também. E em muitas outras. Por que pergunta?

— É que também estive na de 811 e em todas as que vieram depois.

Pedro limitou-se a sacudir a cabeça. O capitão perguntou:

— Em que forças serviu vosmecê?

— Andei com a gente do coronel Ricardo Amaral, o primeiro povoador destes campos.

Disse isso e achou que já tinha falado demais. Rodrigo olhou para as mulheres, sorriu com amabilidade.

— Pelo que vejo são gente da sua família.

— São.

Nenhuma das duas mulheres sequer levantou a cabeça.

— Bom — fez Pedro, fazendo para elas um sinal. — Vamos embora.

Olhando para Rodrigo, murmurou:

— Passe bem.

Pôs-se a caminhar rumo ao portão do cemitério, seguido das mulheres. Bibiana passou pelo forasteiro de cabeça baixa e Rodrigo devorou-a com os olhos. Viu que ela tinha as faces coradas como uma fruta madura e que seus seios eram pontudos; imaginou como deviam ser rijos e quentes... Apalpá-los seria o mesmo que apertar duas goiabas maduras. Sentiu um calor bom em todo o corpo... Mas, percebendo que ia perder a oportunidade de fazer boas relações com o pai da moça, deu algumas passadas largas e alcançou Pedro Terra já do lado de fora do cemitério.

— O amigo me desculpe se sou importuno — começou a dizer, enquanto o outro voltava para ele o rosto em que havia uma indisfarçável expressão de contrariedade. — Eu queria lhe pedir um conselho.

— Mas vosmecê nem me conhece...

— Ouvi dizer que vosmecê é um homem mui experimentado.

— Nem tanto.

— Acontece que estou numa dúvida e precisava ouvir alguém.

As duas mulheres aproximaram-se da carroça que as trouxera até ali. E, quando Bibiana subiu, a saia ergueu-se-lhe um pouco e Rodrigo vislumbrou-lhe o tornozelo.

— Que espécie de conselho vosmecê deseja?

— Pois resolvi ficar em Santa Fé. Sou solteiro, não tenho parentes e pretendo sentar juízo. Queria empregar direito o dinheirinho que tenho e não sei bem o que vou fazer. Vosmecê acha que devo plantar ou criar gado?

Pedro escrutou-lhe o rosto por um instante e depois perguntou:

— Vosmecê quer mesmo a minha opinião franca?

— Foi pra isso que pedi o seu conselho.

— Está bem. O meu conselho é que vosmecê monte a cavalo e vá embora daqui o quanto antes.

Rodrigo sentiu subitamente o sangue subir-lhe à cabeça. Teve de fazer um esforço para não esbofetear aquele atrevido. Ficou muito vermelho, apertou os lábios e conteve-se. Não podia bater num homem de cabelos grisalhos que, além do mais, não chegava a ser tão forte quanto ele. Também não podia brigar com o pai da moça de azul...

Pedro bateu com o indicador da mão direita na aba do chapéu e afastou-se.

— Vosmecê está enganado comigo! — gritou Rodrigo, esforçando-se por dar à voz um tom de jovialidade.

Pedro subiu para a boleia da carroça e, sem olhar para o outro, pegou do chicote, fê-lo estalar no ar. Os cavalos puseram-se em movimento e a carroça afastou-se na direção de Santa Fé. Por algum tempo Rodrigo Cambará ficou olhando as costas de Bibiana: o vestido azul, o lenço branco esvoaçando ao vento...

"Monte a cavalo e vá embora daqui o quanto antes." A voz do homem ainda lhe soava na mente. Que diabo aquela gente tinha visto em sua cara? Primeiro tinha sido o filho. Agora o pai. Todos achavam que ele ia trazer desgraça para o povoado... Mas a verdade era que, quanto mais oposição encontrava, mais vontade sentia de ficar.

3

A casa de Pedro Terra ficava numa esquina da praça, perto da capela, com a frente para o poente. Baixa, de porta e duas janelas, tinha alicerces de pedra, paredes de tijolos e era coberta de telhas. Os tijolos haviam sido feitos pelo próprio Pedro em sua olaria e as telhas tinham vindo de Rio Pardo, na carreta de Juvenal. Era das poucas casas assoalhadas de Santa Fé; dizia-se até que muita gente em melhor situação financeira que a de Pedro não morava numa casa tão boa como a dele. Não era muito grande. Tinha uma sala de jantar, que eles chamavam de varanda (o vigário, homem letrado, afirmava que varanda na verdade era outra coisa), dois quartos de dormir, uma cozinha e uma despensa, que era também o lugar onde ficava o bacião em que a família tomava seu banho semanal. (Pedro tinha o hábito de lavar os pés todas as noites, antes de ir para a cama.) A cozinha, que era a peça que o dono da casa preferia, por ser a mais quente no inverno e a que mais o fazia lembrar outros tempos — chão de terra batida, cheiro de picumã, crepitar de fogo, chiado da chaleira —, ficava bem nos fundos da casa, com uma janela para o quintal, onde havia laranjeiras, pessegueiros, cinamomos, uma marmeleira-da-índia e o poço. A mobília dos Terras era o mais resumida possível. Na varanda, além da mesa de cedro sem lustro, viam-se algumas cadeiras com assento de palha trançada, uma cantoneira de tábua tosca e uma talha com água potável a um canto. Nos quartos, camas de vento, baús e pregos na parede à guisa de cabides. As paredes eram caiadas e completamente nuas; na da sala de jantar havia uma saliência semelhando um ventre roliço. (Ana Terra costumava dizer que a casa estava grávida...) De vez em quando essas paredes eram cruzadas por pequenas lagartixas dum pardo esverdinhado, por lacraias ou aranhas — o que dava calafrios em Bibiana, que sabia de histórias de pessoas que morriam de mordidas de bichos venenosos. Sobre a cabeceira da cama de Pedro pendia um crucifixo com um Cristo de nariz carcomido. Essa imagem — sabia Bibiana — era um dos poucos objetos que tinham vindo da estância do bisavô, juntamente com a velha tesoura enferrujada que pertencera a Ana Terra e que servia para podar árvores ou cortar fazenda.

Na noite do Dia de Finados, depois de lavados os pratos do jantar, Arminda e Bibiana ficaram costurando à luz duma vela metida num gargalo de garrafa. Sentado na cadeira de balanço, a um canto da varanda que a luz da vela não alcançava, Pedro Terra fumava em silêncio, olhando para a filha. Estava cansado e triste. Sempre ficava nesse estado de espírito quando visitava o cemitério. Desde a morte da mãe sentia-se desamparado, como um terneiro que se vê subitamente desmamado. Sabia que um dia a velha tinha de morrer: era uma lei da vida. Mas habituara-se de tal modo a buscar o apoio dela, a pedir-lhe conselho, que agora lhe era custoso viver sem a velha. Pensava na vida que a mãe levara e agora ali em sua casa repetia para si mesmo a pergunta que se fizera no cemitério diante do túmulo materno. Valia a pena lutar, sofrer, trabalhar como um animal para depois ir servir de comida aos vermes da terra?

Devia existir um Deus que governa o mundo e as pessoas, um ser poderoso acima do qual nada existe. Mas ninguém sabe direito o que esse Deus pretende. Pelo menos ele, Pedro Terra, não sabia. O vigário fazia sermões e falava em céu e inferno, mas às vezes Pedro se convencia de que o céu e o inferno estão aqui embaixo mesmo, neste mundo velho e triste, que no fim de contas é mais inferno que céu.

Pedro não tirava os olhos de Bibiana. A filha era uma das poucas alegrias de sua vida. Mas não chegava a ser uma alegria completa, porque também lhe dava grandes cuidados. Criar filho homem era mais fácil e menos arriscado. Juvenal estava casado, vivia a sua vida: tratava-se duma questão resolvida. Mas com Bibiana a coisa era diferente. Estava com vinte e dois anos e ainda solteira numa terra em que as moças se casavam às vezes com quatorze ou quinze anos. Ele sabia duma que se casara no Rio Pardo antes de completar treze... A sua pressa em arranjar marido para a filha lhe vinha do medo de morrer duma hora para outra, deixando a família desamparada. Arminda não era uma mulher decidida e Juvenal não estava em condições de sustentar duas casas. Além do mais, Pedro vivia com um temor negro no coração. Sabia de casos horríveis: povoados atacados pelos índios que saqueavam as casas, matavam os homens e violentavam ou raptavam as mulheres. Por isso às vezes lhe passava pela cabeça a ideia de que o melhor mesmo seria casar a filha com um homem decente que a pudesse levar para Viamão, Porto Alegre ou qualquer um daqueles lugares que estavam menos sujeitos aos ataques dos selvagens. Havia ainda e sempre o perigo das guerras; e os castelhanos não estavam muito longe de Santa Fé. Ele tinha uma experiência amarga. Mais cedo ou mais tarde haveria outra invasão e era um risco muito grande ter mulher moça em casa num lugar abandonado como aquele.

Pedro sentia ainda no corpo o vestígio das guerras em que tomara parte. Depois de 1811 ficara sofrendo de reumatismo e duma dor nos rins, tudo isso como consequência de dormir em banhados, de tomar chuva e de carregar muito peso. Vezes sem conta tivera de empurrar roda de carroça e puxar canhão, como se fosse um cavalo. Além disso, passara fome ou estragara o estômago comendo carne podre e charque bichado. Aquela era a sina dos habitantes da Província de São Pedro. Pagavam muito caro por viverem tão perto da fronteira castelhana. Diziam que no Rio de Janeiro a vida era diferente, mais fácil, mais agradável, mais confortável. (A ideia de conforto, entretanto, nunca fora muito do agrado de Pedro, que a associava vagamente a homens efeminados, que nunca pegaram no cabo duma enxada e usam água de cheiro.)

Ao pensar na Corte, Pedro pensou em *governo*. Para ele governo era uma palavra que significava algo de temível e ao mesmo tempo de odioso. Era o governo que cobrava os impostos, que recrutava os homens para a guerra, que requisitava gado, mantimentos e às vezes até dinheiro, e que nunca mais se lembrava de pagar tais requisições... Era o governo que fazia as leis — leis que sempre vinham em prejuízo do trabalhador, do agricultor, do pequeno proprietário. Antigamente, quem dizia governo dizia Portugal, e a gente tinha uma certa má vontade para com tudo quanto fosse português, começando por antipatizar com o jeito de falar dos "galegos". Mas que se passava agora que o país havia proclamado sua independência e possuía o seu imperador? Não tinha mudado nada, nem podia mudar. No fim de contas d. Pedro I era também português. Vivia cercado de políticos e oficiais "galegos". Ali mesmo na Província já se dizia que nas tropas quem mandava eram os oficiais portugueses; murmurava-se que eles estavam conspirando para fazer o Brasil voltar de novo ao domínio de Portugal.

Bibiana ergueu os olhos para o pai. Não lhe distinguia bem o rosto ali no canto sombrio. Mas via a brasa viva do cigarro, diminuindo e aumentando, e via também a fumaça subir. Ela estava inquieta, com uma coisa no peito... Era um alvoroço que nunca sentira antes. Por mais que fizesse, não podia esquecer o homem que vira aquela manhã no cemitério. Sabia que se chamava Rodrigo e que estava hospedado no rancho do Nicolau, ali do outro lado da praça, bem defronte a sua casa. Pensava na voz dele e sentia um calor no corpo. Não, não era bem calor. Era um amolecimento morno, uma vontade de... de que mesmo? Ela não sabia direito. Melhor: sabia mas não queria saber e só de pensar nisso corava, ficava perturbada, errava o ponto do bordado. Ainda bem que os outros ignoravam o que ela estava pensando e sentindo... Olhou para a mãe, que, com a testa franzida, embainhava uma toalha feita dum saco de farinha de trigo. Bibiana empurrou a agulha com o dedal azinhavrado mas em seguida se perdeu de novo em pensamentos. Imaginou-se costurando seu próprio enxoval. Ouvia mentalmente o comentário das amigas: sabe? A Bibiana vai casar. Não diga! Com quem? Com o Bento Amaral? Não. Com aquele homem bonitão que chegou a Santa Fé. O capitão Rodrigo? Esse mesmo. Diz que vai ser um casamento muito lindo. O velho Terra mandou matar uma novilha e um porco. Estão fazendo doces. Vem um gaiteiro de São Borja. Vão dançar o fandango. Um homem mui guapo.

— Que é, minha filha? — perguntou d. Arminda.

— Nada — respondeu Bibiana, quase sobressaltada. — Por quê?

— Vosmecê está aí sacudindo a cabeça e falando baixinho... Até parece a sua avó. Errou o ponto?

— Não senhora. — Mentiu: — Espetei a agulha no dedo.

— Não tem dedal?

— Tenho.

— Está saindo sangue?

— Não. Não foi nada.

Bibiana sentia arderem-lhe as faces e as orelhas. A noite estava morna, de ar parado, e da varanda do Nicolau vinham risadas masculinas. Através da janela Bibiana agora via a grande figueira no meio da praça, ao luar. Quando menina ela gostava de trepar naquela árvore grande, de ficar pendurada num dos galhos, balançando os pés no ar. Gostava também de arrancar suas folhas, picá-las com uma velha faca e fazer de conta que era uma dona de casa e estava preparando o jantar para suas bruxas de pano. Bibiana ficava horas debaixo da figueira, que ela considerava como sua propriedade. Era ali que brincava de comadre e de visita com as outras meninas. Mas, desde o dia em que seu Inocêncio Carijó amanheceu enforcado num dos galhos da figueira, Bibiana passara a olhar a árvore com um certo temor. Fora ela a primeira a ver o corpo, de manhãzinha. A princípio pensou que o homem estava brincando de se balançar. Aproximou-se dele e quando lhe viu a cara soltou um grito. Inocêncio estava completamente roxo, de língua de fora e olhos saltados das órbitas. Vieram os vizinhos, cortaram a corda e o corpo do enforcado tombou ao chão com um som horrível, como um enorme figo podre que cai. Um dos homens disse: "Judas também se enforcou numa figueira". Ela não compreendeu... Mas em casa ouviu os pais dizerem que Inocêncio Carijó tinha atraiçoado um amigo.

Bibiana olhava agora para a figueira, pensando no enforcado. Mas em breve esqueceu a árvore e o morro para atirar o olhar na direção da venda do Nicolau, cuja porta era um quadrilátero de luz amarelenta aberto na fachada sombria. Era lá que *ele* estava. Bibiana não se lembrava de jamais se haver interessado tanto por um homem. Bento Amaral, tão rico, tão cobiçado pelas outras moças, não lhe causava nenhuma impressão, apesar de seus arreios chapeados de prata, de seus palas de seda, do anel no dedo, do relógio de ouro. Sabia ler e escrever e tinha maneiras de fidalgo. Mas Bibiana simplesmente não sentia nada senão aborrecimento perto dele, e quando o moço aparecia ela só desejava que ele fosse embora o quanto antes. No entanto, o desconhecido que ela vira aquela manhã no cemitério (será mau agouro?) não lhe saía da lembrança. Bibiana pensou na avó. Se ela estivesse viva, qual seria sua opinião daquele forasteiro? "É um homem como os outros." Mas talvez gostasse dele, talvez...

Bibiana tentou concentrar a atenção no que estava fazendo, mas não conseguiu. Não via o bordado: via a cara do cap. Rodrigo. Aqueles olhos azuis tinham um fogo, uma coisa que puxava a gente, bem como um atoladouro. Eram olhos que davam medo e ao mesmo tempo atraíam. Bibiana achava que não teria nunca coragem de ficar olhando muito tempo para eles. Porque se olhasse muito acabaria tendo uma vertigem. No entanto, sabia que o pai não tinha gostado do capitão. Viera do cemitério resmungando, falando mal dele. "Havia de aparecer agora essa peste..." E dava chicotadas nos cavalos, como se os pobres animais fossem os culpados do aparecimento daquele estranho. "Que é que ele pensa de Santa Fé?" Lept! Lept! Bibiana nunca vira o pai tão exaltado. Por quê, Santo Deus? Afinal de contas o homem não tinha feito nada de mau... E ao pensar em todas essas coisas Bibiana ficava apreensiva, com o receio de que algo de sério pudesse acontecer. A avó sempre lhe falava da brutalidade dos homens, que sempre acabavam fazendo o que a gente menos espera, isto é, as coisas mais absurdas. Vovó Ana costumava dizer que certos assuntos eram "coisa de homem". Guerra era coisa de homem; carreira, briga, jogo e bebida eram coisas de homem. O melhor que as mulheres tinham a fazer era desistir de compreendê-los. Desistir e continuar obedecendo e esperando...

Pedro Terra pensava nas suas lavouras perdidas. Era a maior mágoa que tinha no coração. Perdera seus trigais, fazia alguns anos, e com dor de alma vira desaparecer com o trigo uma das maiores riquezas do Continente. Primeiro tinha sido a peste da ferrugem que batera nos trigais. Ele, então, tentara plantar outro tipo de trigo que a ferrugem não costumava atacar. Fora mais ou menos bem-sucedido, mas sobrevieram outros desastres. A Coroa tinha estabelecido um preço fixo para o trigo e havia comprado toda a produção. Ora, esses preços não convinham ao plantador, mas governo é governo. Às vezes a Coroa se apossava das colheitas, prometia pagar mas acabava não pagando. Por outro lado, as sementes escasseavam e o governo nada fazia para ajudar o agricultor. As lavouras começaram a ficar abandonadas. Era impossível lutar contra duas pestes ao mesmo tempo: a ferrugem e o governo. Não era de admirar que os lavradores acabassem abandonando os trigais. Preferiam criar gado, pois dava menos trabalho — diziam — e era mais divertido. De resto, a faina das estâncias parecia-se mais com a da guerra que o trabalho das lavouras. Os homens do Rio Grande estavam de tal modo habituados à luta e às correrias que quando vinha a paz não se conformavam mais com o trabalho da terra, em que tinham de ficar mourejando de sol a sol, agarrados ao cabo da enxada ou da foice. E assim, aos poucos, o trigo tinha ido águas abaixo. A coisa começara lá por 1815, no ano em que apareceu a ferrugem. Pedro lembrava-se bem, pois fora na época em que, triste e estropiado, ele voltara da Banda Oriental. Viera depois a pavorosa seca de 1820. Daí por diante as lavouras tinham começado a mermar, a mermar até se acabarem. Só se salvou quem tinha criação. E a salvação dele, Pedro, havia sido a olaria. Os Amarais exigiram a devolução das terras, pois ele não pudera cumprir o prometido no seu compromisso de compra. E assim ficara apenas com a olaria e a casa do povoado.

Pedro Terra suspirou de mansinho e tornou a pensar na mãe.

Foi nesse momento que se ouviram os sons dum violão e um homem começou a cantar com uma voz que encheu o ar quedo da noite. Pedro franziu o cenho, retesou o busto, apertou forte o cigarro entre os dentes e ficou escutando. As mulheres também ergueram a cabeça e olharam na direção da janela. Bibiana, de olhos arregalados, respirava com dificuldade. D. Arminda olhou para o marido, numa interrogação muda.

— Parece mentira! — exclamou Pedro. — Não respeitam nem o dia dos mortos!

— É um desaforo — concordou a mulher. E depois, noutro tom: — Quem será?

— Ora, quem há de ser! — Pedro ergueu-se. — É aquele sujeito que encontramos hoje no cemitério. Conheço a voz.

Bibiana teve como um desfalecimento.

Pedro aproximou-se da janela olhando na direção da venda do Nicolau.

— É preciso ser muito ordinário para fazer uma coisa dessas — murmurou.

As palavras do pai doeram em Bibiana. Entretanto, ela reconhecia que era mesmo uma falta de respeito, um sacrilégio cantar no Dia de Finados. Mas a voz que vinha lá da venda, morna e clara como a noite, causava-lhe uma confusa ânsia que no fundo era um pressentimento de desastre. Mas também era prazer, um prazer tão grande que chegava a dar-lhe vergonha, como se ela estivesse fazendo algo de feio e proibido.

4

Sentado num mocho, de pernas cruzadas e violão em punho, Rodrigo Cambará cantava cantigas que aprendera nos acampamentos da Província e da Banda Oriental. Eram modinhas e quadras que falavam de mulheres, cavalos, amor e morte. Debruçado sobre o balcão, Nicolau fitava no cantor os olhos sonolentos, pondo à mostra os cacos de dentes. Uma lamparina de sebo alumiava fracamente a sala. Rodrigo cantava com entusiasmo porque sabia que do outro lado da praça ficava a casa de Bibiana, que decerto também o escutava. Punha na voz muita ternura, falava duma tirana que lhe havia roubado o coração e que o martirizava por ser muito arisca...

Calou-se mas continuou a dedilhar o violão. Depois tornou a soltar a voz:

Quem canta refresca a alma,
Cantar adoça o sofrer,
Quem canta zomba da morte,
Cantar ajuda a viver.

Nicolau sacudiu a cabeça e disse:

— Que ajuda, ajuda mesmo.

Um cachorro veio da cozinha, sacudindo o rabo, deitou-se enrodilhado junto ao balcão, descansou o focinho sobre as patas dianteiras e fechou os olhos. Num canto sombrio apontou a cabeça da mulher de Nicolau, que ficou de olhos grudados no capitão, uma expressão de espanto no rosto lustroso.

Rodrigo olhava para a porta que enquadrava um pedaço da noite e via, no outro lado da praça, a janela iluminada da casa de Pedro Terra. De repente uma sombra assomou à porta da venda e fez sumir-se a casa de Bibiana. Era um homem alto, moreno e grisalho, de batina negra: o vigário de Santa Fé. O capitão continuou dedilhando o violão, tirando acordes graves, mas de olhos postos no recém-chegado.

— Boa noite, capitão! — disse o padre, sorrindo.

— Boa noite! — respondeu Rodrigo, parando de tocar.

— Vosmecê pode me dar uma palavrinha?

— Pois não.

Rodrigo pôs o violão em cima do balcão e ergueu-se.

— Aqui fora, se não é incômodo.

Saíram ambos para a praça.

— Linda noite! — exclamou o padre, como para começar a conversa.

— Mui linda.

Rodrigo olhou de soslaio para o outro. O pe. Lara caminhava devagar. Tinha uma cabeça enorme, desproporcional ao corpo raquítico e desengonçado. Havia entretanto uma qualidade tão aliciante em sua voz grave e lenta que era possível a uma pessoa simpatizar com ele, contanto que não olhasse para seu rosto feio e enrugado, de pele frouxa e papada flácida — coisa de estranhar numa cara magra. Os olhos do padre eram líquidos e as bordas de suas pálpebras estavam sempre vermelhas, como numa ameaça permanente de terçóis. Mas ali à luz da lua a face do vigário como que adoçava, perdia a fealdade e tudo que ele tinha de melhor se revelava na maciez envolvente da voz.

Os dois homens deram algumas passadas lado a lado, em silêncio, na direção da grande figueira. Quando se achavam apenas a uns cinco metros da árvore, o padre parou, segurou o braço do outro e perguntou:

— Vosmecê se lembra daquela história das Sagradas Escrituras sobre a figueira que não dava frutos?

— Não entendo muito desses negócios de religião, padre.

— Quando Nosso Senhor andava pela terra, um dia ficou com fome e se acercou duma figueira. Vendo que ela tinha só folhas, disse: "Nunca mais nasça fruto de ti". E a figueira secou imediatamente.

Por alguns segundos Rodrigo nada disse. Limitou-se a olhar para o vigário. Só agora percebia que o velho tinha uma respiração de asmático e que um ronrom de gato lhe escapava da boca semiaberta.

— Vigário, que é que essa história quer dizer?

O pe. Lara começou a esfregar as mãos, devagarinho.

— Há homens como a figueira das Escrituras. Não têm nada pra dar. É o mesmo que se estivessem secos.

Rodrigo limitou-se a dizer:

— É. Hai...

A sombra da figueira era como um borrão de tinta no chão que o luar azulava.

— Existe muita gente assim no mundo, capitão.

— Mas a troco de que vosmecê me conta essa história das Escrituras?

O outro fez um gesto vago.

— Por nada. Porque vi esta árvore.

Rodrigo não ficou satisfeito com a explicação. Pressentia que aquelas palavras eram apenas uma introdução para algo de pessoal que o padre lhe queria dizer. Alguém tinha encomendado sermão ao vigário. Era melhor resolver logo o assunto. Tomou do braço do outro e apertou-o com força; mas, como seus dedos encontrassem um braço fino e descamado, afrouxou-lhe a pressão.

— Padre, é melhor vosmecê ir logo dizendo o que quer. Isso de dar voltas é lá com o rio Ibicuí. Gosto de gente que vai direito ao assunto. Que é que vosmecê quer mesmo comigo?

— Para lhe ser sincero, capitão, o que eu queria era fazer que vosmecê parasse de cantar e tocar violão.

— É pecado cantar e tocar violão?

— Em certos lugares e em certas ocasiões é. Não sabe que hoje é Dia de Finados?

— Ah! Mas por que não disse logo?

— Vosmecê podia se ofender.

— Nunca me ofendo quando me pedem. Fico esquentado quando querem me mandar. Se me pedem com bons modos, faço. Se me dão ordens, brigo.

Acre e úmida, a respiração de gato bafejava o rosto do capitão. O luar parecia deixar mais brancos os cabelos do padre. Um galo cocoricou longamente num quintal; outros galos responderam em outros terreiros, e por um instante a noite ficou como que cheia de clarinadas. Rodrigo lembrou-se de toques de clarim na madrugada. E quase sentiu a impressão que tinha quando em campanha era acordado ao alvorecer pelas cornetas: a cabeça vazia, uma dor de fome no estômago, e na boca uma secura que era vontade de tomar chimarrão. Enquanto os galos cantavam, os dois homens ali perto da figueira ficaram em silêncio. Rodrigo procurava discernir vultos dentro da casa de Pedro Terra. Era lá que morava Bibiana. Por trás daquelas paredes estava a cama em que a moça dormia. Daria um braço, um olho, uma perna para dormir com Bibiana. Só de pensar nisso sentia prazer. De algum jardim vinha-lhe às narinas um cheiro adocicado de flor.

— Capitão...

Rodrigo voltou os olhos para o padre.

— Vosmecê é um soldado, não é?

— E vosmecê é um padre...

— Espere, estou falando sério. Como militar vosmecê sabe que num batalhão tem de haver disciplina, o soldado tem de obedecer ao seu superior.

— Naturalmente.

— Desde que o mundo é mundo sempre houve os que mandam e os que obedecem, um servo e um senhor. O mais moço obedece ao mais velho...

— Isso depende...

— Deixe-me terminar. O filho obedece ao pai, a mulher obedece ao marido. Se as coisas não fossem assim, o mundo seria uma desordem...

— Mas quem foi que lhe disse que o mundo não é uma desordem?

— Capitão! Vosmecê precisa ler história universal. Precisa ler sobre os outros continentes, principalmente sobre a Europa. Não pense que o mundo é só a Província de São Pedro.

Rodrigo deu de ombros.

— Pra mim tem sido...

— Mas não é para muitos milhões de pessoas. O mundo é muito vasto. A autoridade suprema dum país é o rei. Ele tem todo o poder temporal. Mas o poder espiritual quem tem é o papa, representante de Deus na Terra.

Aonde quererá ele chegar? — refletia Rodrigo, olhando de viés para a casa de Bibiana.

— Que diabo, vigário. Vosmecê sempre com voltas. Não queria que eu parasse de cantar? Pois parei. Que é que vosmecê quer agora?

Por um instante o padre lutou com a asma. Finalmente disse:

— Assim como cada casa tem um chefe, cada cidade também tem uma autoridade. E não é desdouro para ninguém obedecer a essa autoridade, quando as ordens que nos dão são justas, decentes e para o bem geral.

— Padre, desembuche duma vez!

— Se vosmecê chega a um povoado como o nosso, não pode proceder como se estivesse ainda num campo sem dono nem lei. Tem de se submeter às autoridades.

— E quem é a autoridade aqui?

— O coronel Ricardo Amaral Neto.

Era bem o que eu esperava — concluiu Rodrigo. O padre trabalhava para o mandachuva da terra. Naturalmente fora o velho Amaral quem mandara construir a igreja, quem comprara as imagens, quem dava ao vigário casa para morar. Não seria de admirar que o pe. Lara usasse o confessionário para arrancar dos habitantes do lugar informações do interesse do chefete de Santa Fé. Rodrigo conhecia casos...

— Vosmecê podia me ter dito tudo isso em duas palavras sem dar tanta volta.

Ficaram de novo em silêncio. Rodrigo via em pensamentos a imagem de Bibiana: a boca carnuda, os olhos oblíquos. Parecia uma fruta; dava na gente vontade de mordiscar aquela boca, aquelas faces, aqueles peitos. Naquele momento seu desejo por Bibiana se confundia com uma sensação de fome e Rodrigo começou a pensar alternadamente na rapariga e num churrasco. O padre recomeçou o sermão, mas Rodrigo não lhe prestava muita atenção. Não podia perder uma noite daquelas na companhia dum padre. Para ele padre era preto e agoureiro como urubu. Onde havia padre havia desastre ou morte: enterro, extrema-unção ou casamento. Sempre achara que casamento também era um desastre, uma prisão, uma espécie de morte. No entanto, agora a ideia de casamento associada a Bibiana não lhe era de todo desagradável nem impossível. Depois — concluiu ele com certa irritação —, parecia que só poderia dormir com a moça se casasse com ela... O pe. Lara falava, falava... Num dado momento puxou pela manga da túnica do capitão e perguntou:

— É ou não é? É ou não é?

— Deve ser, padre, deve ser. Mas vosmecê não acha que o sereno vai lhe fazer mal?

Como se não tivesse ouvido a pergunta, o vigário prosseguiu:

— Então deixe que eu lhe dê um conselho.

Por que será que toda gente neste povoado se acha com o direito de me dar conselhos? — pensou Rodrigo.

— Pois venha de lá esse conselho — disse em voz alta, enquanto com o rabo dos olhos via um vulto de homem assomar à janela da casa de Bibiana.

— Encilhe o seu cavalo e vá embora amanhã.

— Até vosmecê, padre?

— Ouça o que estou lhe dizendo.

— Mas por quê?

— Porque Santa Fé não é lugar para um homem de seu temperamento.

— Mas serei por acaso leproso, ladrão de cavalo ou bandido?

Rodrigo começava a exasperar-se.

O pe. Lara sacudiu a cabeça com veemência e a pelanca debaixo de seu queixo balouçava dum lado para outro, mole como papo de peru.

— Não. Mas sei que vosmecê é um homem que veio de muitas guerras, gosta de jogo, de mulheres e de bebida.

— E quem não gosta?

— O capitão vai se dar mal aqui. Tivemos outros casos, ainda no ano passado...

Rodrigo interrompeu-o:

— Palavra de honra que não compreendo, padre.

— Pois eu compreendo. Tudo está claro como água.

— Então se explique. E por amor de Deus não me venha com voltas.

O pe. Lara puxou o outro pelo braço e ambos começaram a caminhar na direção da capela.

O vigário entrou numa história muito longa sobre a família Amaral, sua tradição, seus hábitos, suas manias e seu prestígio junto ao governo da Província. Rodrigo olhava para a casa de Pedro. Viu quando fecharam a janela. Imaginou Bibiana a despir-se, a tirar o corpinho, a saia... Aquele pedaço de tornozelo que ele vislumbrara quando a menina subira para a carroça, à frente do cemitério, agora se ampliava: era uma perna bem torneada, um joelho roliço, uma coxa... Em breve, excitado, Rodrigo tinha nos braços Bibiana toda nua, com os seios a balouçar, brancos e trêmulos como coalhada nova recém-saída da tigela. E em pensamento ele a deitou na cama e os dois estavam enroscados aos beijos quando o pe. Lara lhe apertou o braço e lhe disse junto ao ouvido:

— É quem manda neste povoado e nestes campos ao redor de Santa Fé. Ninguém fica aqui sem o consentimento dele. É ele quem resolve todas as questões: uma espécie de juiz de paz.

— Mas esse homem nem me viu ainda. Como é que já não gosta de mim?

— Pois aí é que vosmecê se engana. O coronel Amaral já sabe quem é vosmecê, donde vem e o que pretende. Ele me disse que não ia permitir que vosmecê ficasse no povoado, porque não quer saber de barulho.

— Mas eu não vou fazer barulho, já disse! — gritou Rodrigo. Sua voz ecoou na praça e depois se dissolveu no ar.

— Está vendo? Diz que não vai fazer barulho e está quase brigando comigo. Vosmecê tem sangue quente, capitão.

— Que é que vou fazer? Nasci assim e estou velho demais pra mudar.

O padre aveludou a voz.

— Está bem. Está bem. Não vamos brigar. Vosmecê não precisa mudar. Continue como está, se isso lhe agrada. O que eu quis dar a entender com toda esta arenga é que o coronel Amaral mandou lhe dizer que não vê com simpatia a permanência de vosmecê em Santa Fé.

— Por que é que ele não veio me dizer isso cara a cara?

— Decerto porque não quis, pois coragem não lhe falta.

Tinham chegado à frente da capela. Rodrigo sentou-se num dos degraus de madeira da porta central e o padre o imitou. Por alguns instantes ficaram ambos em silêncio olhando a noite. Na maioria das trinta e poucas casas de Santa Fé àquela hora não havia luz. O luar caía manso sobre os telhados e cobertas de palha, sobre os pomares, as hortas e os campos em derredor. Rodrigo fitou o casario de pedra dos Amarais, lá do outro lado da praça. A fera deve estar dormindo — pensou. E sentiu desejos de enfrentá-la.

— Então o homem não quer saber de mim... — murmurou.

O padre ronronava a seu lado como gato velho.

— Que é que vosmecê vai fazer? Pode falar com confiança. Nunca se confessou?

— Nunca. Nem a meu pai.

— Bom. Mas pode se abrir comigo como se estivesse num confessionário. Segredo que cai aqui — e espalmou a mão sobre o peito — é como se caísse numa sepultura.

— Mas não tenho nenhum segredo para contar. O que pretendo fazer já disse a meio mundo. Vou ficar.

— Mas por que é que vosmecê insiste tanto em ficar?

— Porque gostei deste lugar.

— Só por isso?

— Para provar que não escondo nada, vou dizer o resto. É porque estou também gostando duma moça que mora aqui.

— Posso saber quem é?

— A filha do Pedro Terra.

— A Bibiana?

— Essa mesmo.

O padre fez uma pequena pausa e depois disse, grave:

— Mas é uma moça muito direita. Se vosmecê pensa...

— Se é direita, tanto melhor. Tenciono casar com ela.

O sacerdote ficou como que espantado.

— Bom, se é assim... Mas me parece... bom... a coisa vai ser difícil.

— Por quê?
— O Bento, filho do coronel Amaral, também gosta da moça.
— E ela gosta dele?
O pe. Lara acariciou com a palma da mão a coroa da cabeça.
— Gostar... não gosta. Mas vosmecê sabe. O moço é voluntarioso, é rico, e no fim de contas a Bibiana vai acabar dizendo que sim. Principalmente se o velho Ricardo se meter na história.
— Pelo que vejo esse Amaral é um deus.
— Não diga isso, capitão. Deus é um só e está no céu. E esse Deus único não é apenas senhor de Santa Fé. É senhor do universo. — Deixou o tom solene, ficou mais terra a terra ao perguntar: — Vosmecê não é religioso?
— Não. Religião nunca me fez falta.
— Há pessoas que só se lembram da Virgem quando troveja.
— Quando troveja me lembro do meu poncho.
— Há homens que passam a vida fazendo pouco da Igreja, mas na hora da morte mandam chamar um padre pra se confessar.
Rodrigo soltou uma risada.
— Chamar padre na hora da morte? Acho que nem que eu queira vou ter tempo pra isso.
— Quem é que lhe garante?
— Na minha família quase ninguém morre de morte natural. Só as mulheres, assim mesmo nem todas. Os Cambarás homens têm morrido em guerra, duelo ou desastre. Há um ditado: "Cambará macho não morre na cama".
E ao dizer essas últimas palavras Rodrigo falava alto e havia em sua voz um tom de alegre orgulho. O padre ficou por um instante num silêncio abafado. Olhou para a criatura que tinha a seu lado: a lua lhe batia em cheio no rosto. De tão claros, seus olhos pareciam vazios.
— Vosmecê já pensou no que lhe pode acontecer depois da morte?
— Não.
— Não tem medo de ir para o inferno?
Rodrigo cruzou as pernas, atirou o busto para trás e recostou-se contra a porta da capela.
— Padre, ouvi dizer que no céu não tem jogo nem bebida nem carreiras nem baile nem mulher. Se é assim, prefiro ir pro inferno. Além disso,

as tais pessoas que todo mundo diz que vão pro céu por serem direitas e sem pecado são a gente mais aborrecida que tenho encontrado em toda a minha vida. Tenho conhecido muito patife simpático, muito pecador bom companheiro. Se eles vão para o inferno, é para lá mesmo que eu quero ir.

— Vosmecê brinca com coisas sérias. Mas acredita que há um céu e que há um inferno, não acredita?

— Pra lhe falar com franqueza, nunca penso nessas coisas.

— Sim, mas quando vosmecê começar a envelhecer vai pensar. Ouça o que lhe digo.

— Nunca nenhum Cambará macho conseguiu passar dos cinquenta anos.

Para além das casas estendiam-se os campos dobrados sob o lagoão enorme do céu. As coxilhas eram como seios de mulheres — comparou Rodrigo mentalmente. Seios e nádegas.

— Mas vosmecê nunca pensa em Deus?

— Uma vez que outra.

— Não reconhece que Ele fez o mundo e todas as pessoas que há no mundo?

— Se Deus fez o mundo e as pessoas, Ele já nos largou, arrependido.

— Não diga tamanho absurdo! Se Ele tivesse largado, tudo andava de pernas para o ar.

— E não anda?

— Me diga uma coisa: por que é que a Terra gira em volta do Sol e a Lua em volta da Terra, tudo direitinho a bem de haver o dia, a noite, as quatro estações? Por que é?

— Porque é.

— Isso não é resposta. Me diga por que é que a gente bota semente de trigo na terra e a semente cresce numa planta, numa espiga com grãos, e o grão se transforma em farinha e a farinha em pão e o pão em alimento para as pessoas. Vosmecê já pensou que coisa benfeita, que máquina perfeita é o corpo humano?

Rodrigo pensou no corpo de Bibiana. Nu em cima duma cama, os peitos de coalhada, as pernas roliças, os beiços vermelhos. O corpo de Bibiana devia ser uma perfeição.

— Me diga outra coisa. Há homem no mundo capaz de fazer as coisas que Deus fez: as criaturas humanas, as plantas, as estrelas, os animais? Pegue uma florzinha e veja que maravilha, que delicadeza, que... — O padre calou-se, ofegante. — Já pensou nessa coisa milagrosa que é nascer, crescer, viver...

— E envelhecer, e morrer, e apodrecer... — completou Rodrigo, pensando em que Bibiana um dia havia também de ficar velha.

— Exatamente! Mesmo envelhecer e morrer e apodrecer são coisas extraordinárias, porque tudo obedece a um grande plano. O corpo humano é matéria e como tal volta à terra de onde saiu. Mas a alma é imortal. Tudo faz parte do milagre chamado vida. Nada disso podia existir se não houvesse Deus. Podia?

— Vosmecê que lê nos livros é que sabe, padre. Não me pergunte.

— Se Deus tivesse abandonado o mundo, o dia não seguia a noite, o pão não alimentava mais o corpo, o ar se sumia, as plantas não cresciam mais, os astros se chocavam no espaço e o mundo acabava...

Mas antes de o mundo acabar — pensava Rodrigo — tenho de dormir com Bibiana Terra. E de novo sentiu fome. Será que o Nicolau me arranja alguma coisa pra comer?

— Vosmecê deve ter razão, padre. E eu lhe peço desculpas por ser tão atrasado e tão herege. Pode ser que eu mude um dia... — acrescentou, sem nenhuma convicção.

— Se Deus quiser!

— E se eu tiver tempo.

Ergueu-se, rindo baixinho e sentindo as bombachas úmidas de sereno nos fundilhos. Um grilo começou a cantar debaixo dos degraus. Rodrigo lançou um olhar na direção da casa de Pedro Terra.

— Padre.

— Pronto, capitão.

— Vou lhe fazer um pedido.

— Faça.

— Não pense mal de mim.

— Mas eu nunca penso mal de ninguém. Sou um pobre velho que quer ajudar os outros e servir a sua Igreja.

— Sei que sou meio esquentado e às vezes falo alto demais. É que gosto muito da vida.

— Está se vendo.

— Viver é muito bom. Às vezes a gente tem tanta força guardada no peito que precisa fazer alguma coisa pra não estourar.

— Eu compreendo.

— Me criei guaxo. Não conheci mãe. Com doze anos já trabalhava no campo com a peonada bem como um homem-feito. Com dezoito tinha sentado praça e já andava brigando com os castelhanos. Daí por diante sempre vivi ou brigando ou correndo mundo.

O padre sacudia a cabeça, devagarinho.

— Nunca aprendi nenhuma reza nem me habituei a ir à igreja.

— Mas ainda tem tempo. Nunca é tarde, meu filho.

— Qual! Há certas coisas que a gente ou aprende quando é menino ou nunca mais. Mas, pra le ser franco, não tenho sentido falta da igreja nem de reza nem de santo.

— Nem na hora do perigo?

— Pois na hora do perigo mesmo é que não penso nessas coisas.

— Paciência. Pode ser que um dia vosmecê mude. Deus é grande.

— E o mato é maior, padre. É o que esses caboclos aprendem na luta dura desde pequeninhos. Não podem confiar em Deus e ficar parados. Quem fizer isso acaba degolado ou furado de bala. Às vezes o melhor recurso é ganhar o mato. A gente não pode estranhar que essa gente pense assim. Foi a vida que ensinou...

— Deus escreve direito por linhas tortas.

Rodrigo abriu a boca num bocejo cantado e depois disse:

— Mas o diabo é que ninguém sabe ler o que Ele escreve.

O padre ia retrucar, mas calou-se. Houve um curto silêncio e por fim o vigário confessou:

— Quer que eu lhe diga uma coisa? Gosto de vosmecê. Pode ficar certo disso. Gosto.

— Pois me alegro, vigário, me alegro. Tenho tido pouca sorte desde que cheguei.

— Por que não vai falar com o coronel Amaral?

— Eu?

— Sim. Vá e fale franco com o homem. Pode ser que ele acabe gostando de sua pessoa.

— Acha que vale a pena?

— Que é que vosmecê tem a perder?

— Nada, isso é verdade.

— Então? Amanhã eu falo com o homem, pergunto a que horas ele pode receber vosmecê.

Rodrigo fez um gesto que era metade dúvida, metade assentimento.

— Pois... está combinado. Fico esperando suas ordens amanhã. — E mudando de tom: — Vai naquela dircção?

— Não. Fico por aqui. Minha casa é atrás da igreja.

— Boa noite, padre. E não me queira mal.

— Boa noite. Deus guarde vosmecê!

— Amém — disse Rodrigo automaticamente. E riu-se de ter dito isso sem sentir.

Separaram-se. As luzes na casa de Nicolau estavam apagadas. Rodrigo fez a volta do rancho e entrou no seu quarto pela porta dos fundos. Pensava ainda em Bibiana e em algo que comer. Alguém tossiu do outro lado do tabique.

— Nicolau! — murmurou o capitão.

— O Nicolau saiu. — Era a voz da mulher. — Foi caçar tatu.

Imediatamente o coração de Rodrigo começou a pulsar com mais força, uma fração de segundo antes de ele próprio saber o porquê daquele súbito alvoroço. O Nicolau tinha saído de casa e ali do outro lado do tabique sua mulher estava numa cama... Não era nem muito moça nem bonita. Mas era uma fêmea. Fazia tempo que Rodrigo não tinha mulher. Ou tudo aquilo não passava de fome? Pensou em Bibiana. Imaginava Bibiana do outro lado do tabique, deitada na cama, nua...

— Dona Paula — chamou ele.

Por um instante não veio nenhuma resposta. Ele sabia que a china o evitava, como se o temesse. Espiava-o sempre de longe, com seus olhos de animal assustado.

Finalmente o capitão ouviu uma voz débil.

— Vosmecê chamou?

— Chamei, sim.

— Que é?

— Estou com muita fome, dona. Pode arranjar alguma coisa de comer?

— Não sei. Vou ver. — Havia na voz dela um tom de permanente lamúria. Tinha uns peitos flácidos e uma pele terrosa. Mas não era repugnante. E, fosse como fosse, era uma mulher.

De pé, junto da cama, Rodrigo ouvia o rascar das chinelas da companheira do Nicolau. Sabia que para ir à cozinha Paula tinha de passar pelo seu quarto. Entreabriu a porta e ficou esperando de luz apagada. E, quando o vulto da mulher passou, Rodrigo murmurou:

— Dona Paula...

Ela estacou, muda. Ele a segurou pelos ombros e puxou-a para dentro do quarto. Sentiu que ela tremia toda, como se estivesse com sezões, mas não fez nenhum gesto, não disse a menor palavra. Arrastou-a para a cama.

5

No dia seguinte, logo após a sesta, por obra e graça do pe. Lara, Rodrigo se viu frente a frente com o senhor de Santa Fé. Era numa das salas do casarão de pedra, onde os poucos móveis que havia eram escuros e rústicos. A um canto da peça Rodrigo viu três espadas e uma espingarda encostadas na parede. O cel. Ricardo estava sentado atrás duma mesa de pau preto. Não se ergueu quando o padre fez as apresentações. Não estendeu a mão para o visitante nem o convidou a sentar-se. Quando o vigário se retirou, Rodrigo, de pé a uns quatro passos da mesa, olhou bem nos olhos o dono da casa e seu instinto lhe gritou que tinha macho pela frente.

Ricardo Amaral Neto era um homem de cinquenta e poucos anos, moreno, de rosto coberto por uma barba preta estriada já de fios brancos. Usava o cabelo à escovinha, tinha um olhar altivo e na ponta do nariz um sinal dum preto-arroxeado, quase do tamanho duma moeda de vintém. Estava em mangas de camisa, trazia à cinta uma faca de prata e, sob a mesa, Rodrigo podia ver-lhe as botas de couro negro e cano alto.

Houve um pequeno silêncio. O capitão tinha já decidido principiar a conversa quando o outro perguntou bruscamente:

— Que é que pretende fazer aqui?

— Ainda não sei, coronel.

— Este povoado já tem gente vadia que chegue!

Ricardo Amaral atirou essas palavras como seixos na cara do outro.

Rodrigo recebeu-as aparentemente impassível, ficou por alguns segundos calado e depois, com voz meio apertada, replicou:

— Se não fosse o respeito que tenho a um homem da sua idade, eu fazia vosmecê engolir o que acaba de dizer.

Ricardo ergueu-se como que impelido por uma mola. Como o avô e o pai, era um homem alto e espadaúdo. Afastou a cadeira com um pontapé, contornou a mesa, pegou duas das espadas que estavam a um canto, atirou uma para Rodrigo, que a apanhou no ar, desembainhou a outra e gritou:

— Defenda-se! Vou mostrar quem é velho. Defenda-se!

Rodrigo continuava imóvel, segurando a espada horizontalmente com ambas as mãos.

— Vamos, defenda-se! — repetiu o estancieiro.

O capitão sorria. Sorria porque estava achando divertido aquele homenzarrão ali na sua frente, de espada em punho, querendo arrastá-lo a um duelo. Se também se deixasse enfurecer estaria tudo perdido.

— Acalme-se, coronel — pediu ele, apaziguador. — Vosmecê não vai querer matar um homem debaixo de seu próprio teto.

Só então Ricardo pareceu cair em si e compreender a situação. Pigarreou — no próprio pigarro havia um tom de surda raiva — e deixou cair o braço cuja mão segurava a espada. Seu peitarraço subia e descia ao compasso duma respiração acelerada; seu rosto estava purpúreo.

Rodrigo deu alguns passos e encostou a espada na parede. Voltou-se para o senhor de Santa Fé:

— Vosmecê veja a minha situação... — disse ele, quase jovial, ajeitando o lenço vermelho. — Se eu matasse o coronel Amaral, não saía vivo desta casa. Se vosmecê me matasse... eu estava liquidado. De qualquer modo estou perdido. Já vê que minha posição é meio difícil...

— Mas vosmecê me ofendeu! — exclamou Ricardo, pondo a espada em cima da mesa.

— Foi vosmecê que me ofendeu primeiro — retrucou Rodrigo.

— Eu podia mandar le prender.

— Podia, coronel. Podia também mandar me enforcar. Mas não manda nem uma coisa nem outra.

— Quem foi que lhe disse?

— Vosmecê não manda me prender porque não tem motivos pra isso.

Não se prende um homem de bem por um dá cá aquela palha. E vosmecê não manda me enforcar por uma razão muito forte. É porque é um homem justo e bom.

Ricardo voltou-se devagarinho na direção da mesa, lançando um olhar torvo e enviesado na direção do interlocutor. Depois, dominando a voz, disse:

— O melhor mesmo é vosmecê ir embora de Santa Fé o quanto antes.

— Por quê?

— Porque sim.

— Que é que há contra mim?

Ricardo hesitou por um instante, acariciou nervosamente o cabo da faca e disse:

— Vosmecê não tem o nosso jeito. Sou um homem muito vivido e vejo logo quando uma pessoa pode se dar aqui e quando não pode. Logo que me falaram na sua pessoa, senti que vosmecê não podia esquentar lugar em Santa Fé e que mais cedo ou mais tarde ia nos dar trabalho.

— O coronel está me tratando como se eu fosse um castelhano, um estrangeiro, um inimigo.

Ricardo pareceu meio abalado com o argumento. Tartamudeou um pouco antes de responder, mas o tom firme e teimoso em breve lhe voltou à voz.

— Conheço um homem até pela maneira como ele anda vestido. Esse seu lenço vermelho é um sinal de fanfarronice.

— Coronel, vosmecê está enganado.

— Nunca me engano com homem nem com cavalo. Vosmecê tem um jeito de olhar e de falar com as pessoas que faz o sangue da gente ferver.

— Não é minha culpa. Nasci assim.

E imediatamente Rodrigo percebeu que a voz lhe saíra atrevida e agressiva.

— Meu avô costumava dizer que homem também se doma, como cavalo.

— Nem todos.

— Pois le pego pela palavra. Se vosmecê é potro que não se doma, muito bem, é porque não pode viver no meio de tropilha mansa. Seu lugar é no campo. Neste potreiro de Santa Fé, moço, só há cavalo manso. Chegam xucros mas eu domo eles e boto-les a minha marca.

— Já me tinham dito isso.

— Pois, se a coisa não le agrada, mande-se mudar.

Ricardo virou as costas para Rodrigo, como para dar por terminada a entrevista. O outro, porém, continuou imóvel onde se achava. Estava resolvido a não deixar-se convencer nem enfurecer. Se despertasse a ira do senhor de Santa Fé, estaria perdido. A vida para ele no povoado seria insuportável e o melhor que tinha a fazer era encilhar o cavalo, montar e ir cantar noutra freguesia. Mas, se ele fosse embora, adeus, Bibiana!

Decidiu tentar outro recurso. Sabia que Ricardo era comandante dum corpo de cavalaria.

— Coronel, vosmecê também é um militar.

— E por sinal seu superior, capitão. Não se esqueça disso.

— Não esquecerei. Mas peço que vosmecê me escute. No fim de contas um homem tem o direito de se defender, principalmente quando está com a consciência limpa.

Ricardo encarou-o. E naquele instante Rodrigo sentiu que estava diante dum juiz.

— Então que é que tem a dizer a seu favor?

— Eu mesmo não tenho nada. Mas há muita gente boa disposta a falar por mim.

— Aqui em Santa Fé?

— Nestes papéis, coronel. Com licença de vosmecê, aqui está a minha fé de ofício.

Tirou um rolo de papéis de dentro da túnica e apresentou-os ao estancieiro, que os tomou, desamarrou a fita que os prendia, botou os óculos e começou a ler. Eram cópias de ordens do dia de diversos generais que Ricardo Amaral conhecia e nelas havia elogios ao cap. Rodrigo Severo Cambará pelo seu comportamento em ação. Havia também um "a quem interessar possa", declarando que o cap. Rodrigo tinha tomado parte em diversos combates, "portando-se com heroísmo, dedicação e disciplina a toda prova". A declaração estava assinada por Bento Gonçalves da Silva.

Por alguns minutos Ricardo ficou de cabeça baixa, e Rodrigo percebeu que o homem lia com alguma dificuldade: seus lábios grossos se moviam, soletrando as palavras. O senhor de Santa Fé tornou a enrolar os papéis e estava amarrando a fita que os prendia quando o capitão tirou do bolso das bombachas um estojo preto e dramaticamente apresentou-o ao outro:

— E se isto também pode dizer alguma coisa em meu favor...

— Que é isso?

— Faça o obséquio de abrir.

Ricardo Amaral tomou do estojo, com um pouco de má vontade, abriu-o e viu contra um fundo de veludo roxo uma medalha. Reconheceu a cruz da Ordem dos Militares. Não pôde esconder sua surpresa, e seu rosto iluminou-se de repente, como se a condecoração irradiasse luz. Logo em seguida, porém, seu semblante tornou a ficar sombrio. Ricardo fechou o estojo, entregou-o ao outro e começou a esfregar as mãos com impaciência.

— Isso tudo, capitão, prova apenas que vosmecê foi um bom soldado.

Rodrigo estava decepcionado. Esperava que todos aqueles documentos conseguissem comover o estancieiro e agora, vendo-o irredutível mesmo diante daquela condecoração, começava a agastar-se.

— Só me admiro é duma coisa — disse Ricardo, com voz mais conciliadora mas ainda com uma ponta de dúvida. — Como é que um homem com os serviços que vosmecê prestou ao governo não teve outras recompensas...

— Recebi o meu soldo, coronel.

— Não me refiro a soldo. Muitos oficiais depois de deixarem a tropa receberam sesmarias, viraram criadores ou plantadores.

Rodrigo sorriu. Lembrava-se de que lhe haviam contado que naquelas muitas guerras, quando fazia o recrutamento, Ricardo Amaral Neto preferia sempre tirar pais de famílias de seus lares e lavouras a desviar do trabalho de sua estância peões e escravos. Apesar de comandante dum corpo de cavalaria, nunca fornecera uma única de suas vacas para alimentar os soldados, pois achava muito mais conveniente requisitar gado e cereais aos pequenos criadores e agricultores. Murmurava-se também que o cel. Ricardo se valera mais duma vez de sua autoridade militar para obrigar certos proprietários a lhe venderem suas terras a preços baixos.

Rodrigo encolheu os ombros e disse:

— Nunca me interessei por essas coisas, coronel. Nasci caminhando como filho de perdiz.

— E por que é que agora quer fazer seu ninho aqui no povoado?

— Já lhe disse que gostei de Santa Fé. É um lugar mui lindo. No dia que eu achar que ele não me serve mais, monto a cavalo e vou m'embora. Só árvore é que pega raiz no chão.

— Pois homem que não é capaz de se apegar à terra não nos serve. O mal desta província têm sido esses aventureiros que vêm doutros pontos do país só pra se divertirem ou fazerem negócio e depois vão embora.

Ricardo, agora visivelmente mais calmo, acariciava as barbas grisalhas com sua grande mão queimada de sol e estriada de veias dum azul esverdeado.

Rodrigo sabia ser simpático, quando queria. Tratou de falar com calma e brandura, e no seu tom de voz havia agora não a humildade dum pobre que curva a cabeça ante um potentado, mas sim o respeito carinhoso dum filho que se dirige ao pai.

— Vosmecê ainda não me conhece, coronel. Mas se minha palavra valesse alguma coisa...

Ricardo interrompeu-o:

— Olhe, capitão, nunca apreciei as pessoas que põem em dúvida a palavra dos outros. Se vosmecê vai me dar a sua, não tenho razão pra duvidar dela.

Rodrigo viu que começava a pisar em terreno mais firme.

— Pois lhe empenho a minha palavra de cidadão e de soldado como nunca lhe darei nenhum motivo de queixa. Quero ficar aqui. Talvez compre umas terrinhas e comece a criar o meu gadinho. Talvez até me case...

— Mas vosmecê não vai gostar de Santa Fé. Temos poucos divertimentos e um homem habituado a pândegas, fandangos, carreiras, jogatina e mulheres não pode aguentar esta vida. Santa Fé é terra de gente trabalhadeira. Tem pouca festa e pouca moça. E as moças são direitas, ouviu, capitão?

— Ninguém está dizendo o contrário.

— Vosmecê já foi ao nosso cemitério?

— Casualmente estive lá ontem.

— Viu aquele túmulo de cruz preta, logo à direita de quem entra?

Rodrigo sacudiu a cabeça, numa negativa.

— Não que me lembre.

— Pois ali está enterrado o Zé Oliveira.

Fez uma pausa cheia de significação. Depois continuou:

— O Zé tomou a mulher dum dos meus agregados... — Outra pausa. Os olhos de Ricardo Amaral Neto brilharam por um instante. — O marido meteu-lhe chumbo no corpo. O corpo do Zé Oliveira ficou que nem peneira...

— E que foi que aconteceu pra mulher? — perguntou o capitão, sorrindo.

O estancieiro fez um gesto brusco e grasnou:

— Não vem ao caso!

— Se vosmecê pensa que vou tentar tirar a mulher de alguém... — começou a dizer Rodrigo.

Mas o outro não o deixou terminar:

— O Zé Oliveira era um sujeito valente, muito alegre, cantava e tocava violão. — Com uma voz cheia de intenções veladas, acrescentou: — Sempre desconfiei de homem que toca violão.

Espinhado, Rodrigo não se conteve e replicou:

— Conheço muito patife que não toca violão.

Por um breve instante os dois homens se mediram com os olhos, num silêncio feroz. Nenhum piscou. Nenhum falou por vários segundos. Rodrigo então compreendeu que não havia mais remédio para aquela situação. Apanhou o chapéu que estava em cima duma cadeira e disse, num supremo esforço para alisar a voz:

— Bem, vou andando com a licença de vosmecê.

— Pra andar vosmecê tem toda a minha licença.

— E pra ficar?

— Para ficar, não.

O capitão fez meia-volta, aproximou-se da porta e, já a abri-la, exclamou:

— Mas fico!

Não ouviu o que o outro disse nem lhe viu a cara, pois bateu a porta em seguida e saiu para o alpendre. Dirigiu-se para a venda do Nicolau, assobiando, com o chapéu atirado para a nuca, a ruminar com gozo suas últimas palavras. Mas fico. Mas fico. Mas fico.

6

E ficou mesmo. Nada lhe aconteceu. Porque aqueles dias Ricardo Amaral fechou a casa do vilarejo e foi passar o resto do verão na estância, deixando o campo livre para Rodrigo, que aos poucos conquistou toda a população de Santa Fé, com exceção de Pedro Terra. Era alegre, cantava, tocava violão, pagava bebidas e sabia perder no jogo. Faziam rodas de truco ou de solo na venda, e em certas ocasiões até o pe. Lara vinha jogar. Ficava pitando um cigarro de palha, tossindo e rindo das histórias que o capitão lhe contava. E muitas vezes, segurando com seus longos dedos as cartas sebosas do baralho, sacudia a cabeçorra e murmurava:

— Esse capitão Rodrigo é das arábias!

Nicolau estava satisfeito com o hóspede e, de pé atrás do balcão, servindo cachaça para a freguesia, costumava olhar com ar quase paternal para Rodrigo. E parecia continuar ignorando que, sempre que ele saía, a mulher ia para a cama do outro, silenciosa e trêmula, confirmando o ditado que o cap. Cambará com frequência repetia aos amigos íntimos: "Mulher que vai uma vez comigo pra cama vai sempre".

De vez em quando Rodrigo saía com os novos amigos a caçar veados ou jacutingas. Aos domingos corria com eles carreiras em cancha reta. As apostas eram moderadas e todos se admiravam de nunca haver briga. Diziam:"O capitão Rodrigo é homem que sabe perder". Quase todas as noites havia reuniões na venda do Nicolau depois do jantar. Rodrigo tocava violão e cantava, e, quando encontrava algum repentista, desafiava-o para trovar; e, sob risadas, ficavam os dois até tarde no seu duelo poético. Já se dizia em Santa Fé que "Onde está o capitão Rodrigo não hai tristeza".

E assim se passaram algumas semanas. Rodrigo não podia tirar Bibiana do pensamento. Para falar a verdade, não procurava esquecê-la. Fizera muitas tentativas para falar com a moça, mas não conseguira nada. Aos domingos costumava ir esperar a saída da missa para ver sua "tirana" passar, de olhos baixos, muito vermelha, acompanhada pela mãe e pelo pai, o qual, ao avistá-lo, mal batia com dois dedos na aba do chapéu e passava de largo. Tinham-lhe contado que Pedro Terra dissera, em certa roda: "Esse tal capitão Rodrigo é um homem sem serventia. Vive cantando, bebendo e jogando, e tem raiva do trabalho". Rodrigo exasperava-se. A moça morava naquela casa ali do outro lado da praça e no entanto era como se vivesse em Viamão, em Rio Pardo ou em São Paulo, porque raramente a via. Pensara em mandar-lhe um recado, escrever-lhe um bilhete... Um dia chegou a falar com o padre.

— Vigário, eu queria pedir um favor a vosmecê.

O pe. Lara aproximou o ouvido dos lábios do capitão.

— Diga.
— Arranje um jeito de eu falar com dona Bibiana.
O sacerdote sacudiu a cabeça com veemência.
— Não conte comigo para essas coisas. Não sou nenhum alcoviteiro. Não quero me meter nesses assuntos.
— Mas as minhas intenções são sérias. Quero casar com a moça.
— Então fale com o pai dela.
— Mas o velho Terra não me dá ocasião. Não quer saber de mim.
— Fale com o irmão.
— Ele não está no povoado.
— Deve chegar por esses dias.
— Mas eu sei que Pedro Terra ouve vosmecê. Diga alguma coisa a meu favor.
O padre coçou a papada. Seus olhos líquidos fitaram o rosto do capitão.
— Vosmecê me bota em cada aperto...
— Então vai falar?
— Vamos ver... Talvez. Não prometo nada.
O vigário procurou safar-se. Mas Rodrigo agarrou-lhe a manga da batina e disse:
— Padre, vosmecê sabe como sou esquentado. Estou levando este negócio com bons modos. Mas se perco a paciência não respondo pelo que acontecer.
— Vosmecê é um homem impossível! — exclamou o sacerdote. E abalou, furioso.

Por aqueles dias Juvenal voltou de sua viagem a Cruz Alta. Vendo a carreta carregada de fardos e caixas, Rodrigo teve uma ideia. Depois de abraçar Juvenal, chamou-o à parte e disse:
— Tenho uma proposta pra le fazer.
— Que é?
— Um negócio...
— Que negócio?
Estavam sentados debaixo da figueira. A tarde caía calma, e o céu estava limpo, dum azul liso e desbotado.
— A venda do Nicolau é uma droga — declarou Rodrigo.

— Mas é o que temos, não é? — retrucou o irmão de Bibiana, meio áspero.

— Vosmecê conhece a loja do velho Horácio Terra no Rio Pardo?

— Não hei de conhecer! O velho Horácio é meu tio-avô.

— Pois aquilo é que é loja. Tem de tudo, é grande e bem sortida. Santa Fé precisa duma venda melhor que a do Nicolau.

Rodrigo olhou para Juvenal, mas não viu no rosto deste nenhum sinal de compreensão ou entusiasmo. Continuou:

— Tenho na guaiaca algumas onças e patacões. Não é muito, mas dá pra gente principiar... Pois a minha proposta é a seguinte: vosmecê tem uma carreta e eu tenho um dinheirinho. Vamos fazer uma sociedade. Vosmecê faz o sortimento no Rio Pardo e eu tomo conta da loja aqui.

O rosto de Juvenal continuou impassível. Seus dentes amarelentos apertavam o cigarro apagado. Permaneceu em silêncio, olhando para o casarão dos Amarais, cujas janelas e portas continuavam fechadas.

Rodrigo deu-lhe uma palmada jovial no joelho.

— Que tal?

— É...

— É o quê? Acha ou não acha boa a ideia?

— Pode ser, pode não ser...

— Mas vosmecê não arrisca nada. Eu é que entro com o dinheiro. Vosmecê entra com sua carreta, sua experiência e suas relações no Rio Pardo. Começamos com um negócio pequeno, depois vamos melhorando a coisa aos poucos.

— É... pode ser.

— Que diabo! Vosmecê não se entusiasma com nada.

Juvenal sorriu com um canto da boca.

— Não se pode fazer nenhum negócio no ar. Tenho família.

— Pois então pense. Pense e me diga o que resolveu.

— Vou pensar.

Juvenal ergueu-se.

— Outra coisa — ajuntou Rodrigo, levantando-se também. — Quero me casar com a sua irmã.

Juvenal não disse nada. Tirou o isqueiro, bateu a pedra e, quando o pavio prendeu fogo, aproximou dele a ponta do cigarro. Só depois de tirar uma baforada é que falou.

— Já se entendeu com o meu pai?
— Ainda não.
— E com a Bibiana?
— Também não.
— Ela gosta de vosmecê?
— Não sei.
— Como é que diz então que vai se casar com ela?
— Mas como é que vou falar com ela se o velho Terra cuida da filha como cachorro ovelheiro cuida de rebanho?
Pelos olhinhos de Juvenal passou um rápido brilho pícaro.
— Decerto é porque ele acha que vosmecê é um tigre.
Rodrigo fez um gesto de impaciência. Via agora um vulto no pátio da casa de Pedro Terra, sob os pessegueiros carregados de frutos. Um vestido azul... Sim, era Bibiana que dava de comer às galinhas.
— Amigo Juvenal, faça alguma coisa por mim.
— Mas que é que vosmecê quer que eu faça?
— Fale com seu pai, com sua irmã. As minhas intenções são boas. Não sou nenhum pesteado.
Juvenal mirou o outro longamente e depois disse:
— Não acha melhor dar tempo ao tempo?
Rodrigo desferiu um pontapé numa pedra, arremessando-a contra o tronco nodoso da velha figueira. Estava de bombachas de riscado e camisa branca, com o lenço vermelho no pescoço, a aba do chapéu quebrada na frente. Juvenal olhou-o com uma mistura de simpatia e má vontade. Durante toda a viagem a Cruz Alta levara no peito uma preocupação que em vão se esforçara por vencer. Não se sentia seguro sabendo que tinha deixado sua mulher sozinha em casa, numa terra onde andava às soltas um homem como o cap. Rodrigo. Nunca tivera nenhuma razão para duvidar da fidelidade da esposa; a Maruca era uma moça quieta e trabalhadeira que nunca dera nenhum motivo para falação. Mas, por mais que ele fizesse, não conseguia esquecer Rodrigo Cambará e por isso se apressara a voltar. E, olhando agora para a cara do capitão ali naquele entardecer quente e sereno, Juvenal não podia ter nenhuma dúvida quanto aos sentimentos da irmã. Apesar de Bibiana não lhe ter nem mencionado o nome de Rodrigo, ele pressentia que a coitada estava já irremediavelmente apaixonada por aquele forasteiro. O diabo do homem tinha feitiço.

— O que tenho feito aqui nesta terra, Juvenal, chega a ser uma desmoralização pra mim. Nunca me rebaixei tanto. Nunca fiquei onde não me queriam. Sou desses que quando querem as coisas fazem, sem pedir licença a quem quer que seja. Mas aqui tenho baixado a cabeça. O mundo é muito grande e eu podia encontrar por aí miles de moças que quisessem casar comigo. Mas gostei de sua irmã e decidi que ela tem de ser minha mulher. E lhe digo mais. Hei de me casar com dona Bibiana, custe o que custar.

Juvenal não perdeu a calma.

— Mesmo que ela não queira?

— Bom, isso é diferente... Se ela não me quiser, monto a cavalo e me vou embora. Com dor de coração, mas vou. Mas se ela quiser...

Calou-se. Achou melhor não continuar, porque não queria perder a amizade de Juvenal. Ia dizer que, se Bibiana o amasse, ele a tiraria de casa e a levaria para longe na garupa do cavalo. Já tinha feito isso com outras mulheres, em outros lugares. Deixava-as depois no caminho, quando se cansava delas. Mas com Bibiana ia ser diferente. Queria a moça para esposa. Desejava ter uma casa e filhos, muitos filhos.

Aquela manhã no cemitério, ao dar com os olhos em Bibiana, ele tivera uma espécie de visão do seu destino. Parecia que uma voz lhe segredava: "Chegou a hora, capitão. É esta".

— Tenho de ir andando... — disse Juvenal.

— Pense bem no negócio que lhe propus.

— Vou pensar.

— E quando é que me dá resposta?

— Qualquer dia.

Rodrigo teve ímpetos de dar um pontapé no traseiro de Juvenal para animá-lo, fazê-lo tomar interesse pelas coisas. Quando ele se afastou no seu andar lento, um pouco gingado, ficou a acompanhá-lo com os olhos. Juvenal tinha as pernas meio arqueadas e seus cabelos, dum negro lustroso e liso, eram compridos, cobriam-lhe o pescoço e roçavam na gola da camisa. Havia nele qualquer coisa de lerdo e descansado, como se de tanto carretear ele tivesse tomado o jeito dos bois.

Rodrigo voltou-se para a casa de Pedro Terra e ficou a contemplá-la. Bibiana havia desaparecido do pátio, mas lá estavam ainda as galinhas a ciscar o chão. Achou bonita a casa dos Terras à luz macia do entardecer.

Não havia vento e as árvores estavam imóveis. Os pêssegos amarelavam entre as folhas verdes dos pessegueiros e o chão, sob as árvores, era dum vermelho-escuro manchado de sombras arroxeadas. Dum outro quintal vinha uma fumaça azulada, cheirando a cipó e ramos secos queimados. Havia também no ar um cheiro bom de carne assada. Nessas horas Rodrigo sonhava com uma casa, uma boa cadeira e Bibiana. Decidia que estava cansado de guerras e andanças e que já era tempo de sentar o juízo e cuidar do futuro. Pensou nos filhos... Queria que o primeiro fosse homem. Havia de dar-lhe uma educação de macho. Pediria ao vigário que o ensinasse a ler, escrever e contar... Mas havia de ensiná-lo principalmente a andar a cavalo e manejar as armas.

Nicolau apareceu à porta da venda.

— Está na mesa, capitão!

Despertado de seu devaneio, Rodrigo respondeu:

— Já vou indo.

Naquela noite não cantou. Todos estranharam ao vê-lo tão macambúzio. Naquela noite e nas muitas outras noites e dias que se seguiram, Rodrigo várias vezes avistou Bibiana, mas de longe. E, por mais que inventasse pretextos, não conseguiu falar com ela. E, quando o pai a levou a passar uma temporada na estância dum amigo, o capitão ficou no povoado, amargando sua saudade. À noite sentava-se sozinho debaixo da figueira, olhando para a casa de Pedro Terra e imaginando coisas. Frequentemente tinha de saciar o seu desejo de Bibiana no corpo magro da mulher do Nicolau, o qual começava já a desconfiar de tudo, mas preferia fingir que não sabia de nada. Rodrigo tinha pena do vendeiro e ao mesmo tempo o desprezava. Às vezes ficava irritado com Paula, porque ela não era nova, bonita e limpa como Bibiana. A chinoca continuava a deixar-se usar num silêncio submisso e sempre assustado. No princípio esperavam que Nicolau saísse para irem para a cama. Ultimamente Rodrigo já não fazia mais cerimônia. E muitas vezes, quando estavam ambos deitados, ouviam do outro lado do tabique a tosse ou o ressonar de Nicolau. Por fim Rodrigo não pôde suportar mais Paula; e uma noite, para evitar que ela viesse para sua cama, trancou a porta do quarto. E depois, ouvindo entre enojado e exasperado ruídos suspeitos no quarto contíguo, bateu com o pé na parede e gritou:

— Façam esse negócio sem barulho!

Revolveu-se na cama e fechou os olhos. O sono, entretanto, não lhe veio. Ele pensava em Bibiana, nos seus seios brancos, no seu corpo jovem, nos seus olhos enviesados... Decidiu que quando ela voltasse da estância ia falar-lhe nem que para isso tivesse de passar por cima do cadáver do pai, do irmão, do padre, do bispo, do diabo! Pensou também em fazer a mala e ganhar de novo a estrada. Um homem como ele se arranjava em qualquer lugar... Mas no momento mesmo de formular esse pensamento ele já sentia, já sabia que ia continuar em Santa Fé.

E, quanto mais o tempo passava, mais Rodrigo compreendia ser-lhe impossível viver sem Bibiana. O que a princípio fora apenas desejo carnal agora era também um pouco ternura: era amor. E o cap. Cambará inquietava-se por isso. Porque sempre lhe parecera que o único amor digno dum homem era esse que apenas pede cama. O amor de fazer ou cantar versos e mandar flores, esse amor de doer no peito, de dar saudade era amor de homem fraco. Ele cantava versos que falavam em tiranas, saudade e mágoa, só por brincadeira, sem sentir de verdade as coisas que dizia. No entanto, agora estava enfeitiçado por Bibiana Terra.

E, em fins daquele dezembro quente e parado, Rodrigo Cambará pela primeira vez compreendeu o profundo sentido dum ditado popular: "Quem anda cego de amor não sabe se é noite ou se é dia".

7

Um novo ano entrou e em fins de janeiro a filha de Rosa, prima de Pedro Terra, ia casar com um moço de Porto Alegre que ela conhecera em uma de suas viagens à capital. O pai da noiva, Joca Rodrigues — um dos mais prósperos plantadores de erva-mate de Santa Fé —, decidiu fazer festa grande no dia do casamento. Pediu emprestado o gaiteiro da estância de Ricardo Amaral, fez matar dois novilhos gordos, dois porcos e quinze galinhas e pôs a mulher e muitas amigas e comadres a fazerem doces, pães, pastéis, roscas e biscoitos. O noivo mandou de presente ao futuro sogro três pipas de vinho feito na quinta dos pais. E, quando Rosa Rodrigues — que era econômica a ponto de parecer sovina — perguntou ao marido se ele pretendia dar de comer e beber a um batalhão, Joca respondeu:

— Que diabo, mulher! É a nossa única filha, e vai fazer um casamentão. Se a gente não festeja uma ocasião dessas, quando é então que vai festejar?

Rosa suspirou, baixou a cabeça e meteu de novo as mãos na massa de pão. E no dia do grande acontecimento Santa Fé não falou noutra coisa.

O noivo viera só. Era um moço baixo, quieto, de grossos bigodes negros e olhos mansos. Os pais tinham nascido na ilha dos Açores e possuíam nos arredores de Porto Alegre uma quinta onde cultivavam parreiras e hortaliças, faziam vinho, queijo e linguiça e criavam porcos e galinhas. A chegada do rapaz a Santa Fé causara alguma sensação. Qualquer forasteiro que chegasse sempre era uma novidade que ocupava a atenção dos habitantes do povoado, onde a vida de ordinário se arrastava calma e igual. Mas aquele homem do litoral, que vestia e falava dum modo diferente das gentes do interior, de certo modo representava uma parte da Província cujos habitantes não tinham ainda cortado completamente o cordão umbilical que os prendia a Portugal. Algumas famílias açorianas cujos antepassados tinham chegado ao Continente de São Pedro havia quase oitenta anos mantinham ainda mais ou menos intatos os costumes das ilhas.

O noivo da filha de Joca Rodrigues não sabia montar a cavalo com o garbo e o desembaraço dos homens do interior e da fronteira. E quando entrou no povoado, meio encurvado em cima dum petiço manco e cansado, seguido de dois escravos, um santa-fezense que estava parado à frente da venda do Nicolau gritou, jovial:

— Cuidado, baiano!

E outro, mais adiante, vendo como o forasteiro se agarrava à cabeça do lombilho, não se conteve e exclamou:

— Largue o santantônio, moço!

O recém-chegado sorriu. Tinha consciência de estar fazendo figura triste. Achava-se agora em meio de gente habituada a uma vida e a um tipo de trabalho que ele desconhecia quase por completo. Jamais manejara o laço ou as boleadeiras; não sabia domar potros nem parar rodeio. Meio encalistrado, distribuía cumprimentos amáveis para a direita e para a esquerda, como se quisesse comprar com essa afabilidade a tolerância daqueles gaúchos.

Não levou, porém, muito tempo para se fazer estimado. Como a maioria dos ilhéus, era simples e alegre, duma alegria natural, sem fanfarronada nem barulho. Gostava de dançar, cantar, era econômico, firme nas suas opiniões e não se expunha a riscos em seus negócios. Apegado à terra, preferia — como a maioria dos homens de sua origem — uma vida sóbria e sedentária às guerras, correrias e aventuras. Era religioso, hospitaleiro e tinha um respeito supersticioso pela lei e pela autoridade.

O pe. Lara travou logo conhecimento com aquele moço de Porto Alegre, pediu-lhe notícias da capital e do mundo e recebeu com satisfação os jornais da Corte que o recém-chegado trouxera consigo. E, convivendo com aquele filho de açorianos, o vigário, que gostava de estudar e observar as pessoas e as coisas, sorria e achava que o noivo da filha de Joca Rodrigues era bem a antítese de Rodrigo Cambará. Sua linguagem — na pronúncia, na entonação e no emprego de certos vocábulos que o interior da Província usava pouco ou desconhecia de todo — lembrava a das ilhas, aproximava-se muito, na construção das sentenças, do português castiço que o padre lia em Manuel Bernardes e Benardim Ribeiro. Era uma língua cantante, por assim dizer apertada, cheia de *ss* chiados, *aa* surdos, *ee* mudos, ao passo que Rodrigo Cambará pronunciava todas as letras, falava uma linguagem clara, como que quadrada no seu escandir de sílabas, e cheia de castelhanismos trazidos da Banda Oriental. Para o moço de Porto Alegre uma moça era uma "rapariga"; para seus avós, uma "cachopa"; mas para Rodrigo, mulher moça era às vezes "muchacha" ou, quando ele queria depreciar a jovem, "piguancha". Quando o noivo desejava exprimir agradecimento, dizia respeitosa e quase solenemente: "Obrigado a vossa mercê"; mas Rodrigo soltava um "Gracias!" rápido, casual e quase insolente.

O pe. Lara lembrou-se dos tempos em que fora capelão da igreja de Viamão. Isso tinha sido pouco antes de 1822, quando já se falava da surda luta pela independência do Brasil. Ele via a má vontade, a desconfiada reserva com que alguns açorianos e seus descendentes recebiam ou comentavam as notícias sobre a propaganda libertária. Para eles era melhor que o Brasil continuasse sob o domínio português. Se o país ficasse independente, sabiam que iam sentir-se como que abandonados.

Esses açorianos, tão apegados a suas terras, lavouras, lojas e oficinas, representavam a ordem, a estabilidade, o respeito às leis, a obediência à Corte de Lisboa. Mas os homens que, como Rodrigo, tinham vindo das

Guerras Platinas, onde estiveram em contato com os caudilhos e guerreiros castelhanos que procuravam libertar sua pátria do domínio espanhol; os homens do interior e da fronteira que amavam a ação, o entrevero, as cargas de cavalaria, a lida e a liberdade do campo, onde viviam longe do coletor de impostos e das autoridades — esses falavam em liberdade, hostilizavam os portugueses, queriam a independência. Representavam a população menos estável porém mais nativista do Rio Grande. Criavam gado, faziam tropas e eventualmente engrossavam os exércitos quando o inimigo invadia a Província. Alguns brigavam por obrigação; muitos por profissão; mas a maioria brigava por gosto.

E agora, observando o moço de Porto Alegre que viera casar com uma filha de Santa Fé, o pe. Lara mais uma vez ficava em dúvida quanto ao tipo que mais lhe agradava: o habitante sedentário e pacato do litoral ou aquela gente meio bárbara do interior? E concluía um tanto alarmado que, contra toda a lógica, entre o futuro genro de Joca — o moço quieto, que se confessava, tomava comunhão e ia à missa — e Rodrigo Cambará, que não tinha Deus nem lei e zombava da religião, ele, um sacerdote, preferia o último, de todo o coração. Era uma questão de simpatia que nada tinha a ver com suas conveniências ou convicções religiosas.

Para a Igreja, os litorâneos, os habitantes de lugares como Porto Alegre, Viamão, Rio Grande e Pelotas, ofereciam uma seara mais rica e segura que a de outras zonas da Província. A Igreja Católica precisava de estabilidade e havia nessas cidades, vilas e povoados uma hierarquia nítida — nobreza, clero e povo —, uma divisão muito conveniente ao trabalho de evangelização. Quanto às populações das estâncias e charqueadas, o problema era diferente e infinitamente mais complicado. Aquela vida agreste e livre convidava à violência, à arbitrariedade e à insubmissão. As charqueadas eram focos de banditismo. O trabalho das estâncias como que nivelava o patrão ao peão e ao escravo. Muitas vezes o estancieiro saía a camperear ombro a ombro com aqueles numa faina igualizadora que oferecia certos perigos, pois criava o risco de negros e caboclos quererem gozar das mesmas prerrogativas que seus senhores. O pe. Lara sabia que todos os homens tinham sido criados à imagem e semelhança do Senhor. Mas reconhecia também que, para maior facilidade e eficiência do trabalho dos sacerdotes de Deus na Terra, era necessário que houvesse ordem, um sentido de hierarquia, um escalonamento nítido da sociedade. Porque a desordem era inimiga da religião, e se os homens não reconhecessem nenhum princípio de autoridade na vida temporal, como haviam de reconhecê-lo na vida espiritual? Por outro lado, estava também convencido de que todas as ideias de liberdade e igualdade traziam no seu âmago sementes de ateísmo e anarquia, tanto que as conspirações republicanas eram feitas em geral pela maçonaria. Lera muitos ensaios sobre a Revolução Francesa. Detestava Marat, Robespierre e Danton. Achava-os uma corja de ateus que negavam o Deus único e falavam em nome duma deusa absurda, quando na verdade estavam apenas dando voz a seus apetites, ambições e perversões. O mundo — achava o pe. Lara — nunca fora mais feliz que na Idade Média. Ateus e hereges chamavam a essa época áurea da história a era do obscurantismo, a idade negra. Mas um dia a Idade Média haveria de voltar e com ela toda a glória da Santa Madre Igreja.

Rodrigo — achava o vigário — representava à maravilha a mentalidade do homem do campo, da guerra e do cavalo, que não teme a Deus nem ao diabo. Aqueles aventureiros habituavam-se a nunca ir à igreja nem a respeitar os sacerdotes. Não havia em suas vidas ordem ou método ou estabilidade que lhes permitisse dedicarem pelo menos um dia da semana ao culto do Criador. Em alguns lugares da Província os homens nem chegavam a saber quando era domingo. Por outro lado, como podiam eles humilhar-se diante de Deus se sabiam que Deus era um homem, e um homem macho — segundo o rude código continentino — nunca baixa a cabeça nem ajoelha diante de outro homem? Habituados a guerras, asperezas e violências, confiavam mais em seus cavalos, suas armas e sua coragem do que em santos, rezas, sacerdotes ou igrejas.

Às vezes, estudando as gentes de Santa Fé, comparando-as com as outras pessoas que conhecera em outros recantos da Província, estendendo o olhar para os horizontes que por assim dizer cercavam aquelas vastas campinas em derredor do povoado, o pe. Lara ficava a pensar no que seria aquela população dali a cem anos... A vida para ele não era fácil nem agradável, por causa da asma, mas gostaria de poder durar tanto como Matusalém para ver que resultado teria aquela mistura de raças que se estava processando na Província de São Pedro. Sabia que era uma espécie de tradição entre os Amarais fazer filhos nas escravas, produzir mulatos e mulatas, que por sua vez depois se cruzavam com brancos, índios ou pretos. Os brancos gostavam muito das índias. O padre ouvira dizer que as mulheres índias se entregavam aos índios por obrigação, aos brancos por interesse e aos negros por prazer. Agora — refletia ele — aquele moço de sangue açoriano ia casar-se com a filha de Joca Rodrigues, que era um paulista neto de portugueses do Minho. Fazia já mais de quatro anos que tinham chegado à Feitoria do Linho-Cânhamo, às margens do rio dos Sinos, centenas e centenas de colonos alemães. No futuro os filhos desses imigrantes haveriam de fatalmente casar-se com as gentes da terra e o sangue alemão se misturaria com o português, o índio e o negro. Para produzir... o quê? Havia outra coisa que inquietava o vigário de Santa Fé. Era pensar que entre esses imigrantes alemães deviam existir muitos protestantes. Chegaria o dia em que as igrejas luteranas começariam a aparecer nas colônias. O governo devia evitar isso, estabelecendo como condição para um imigrante entrar no Brasil a sua qualidade de católico praticante. Porque a terra da Santa Cruz pertencia espiritualmente à Igreja Católica. Muitos anos antes de os alemães sonharem com aquela parte do mundo, já havia ali missionários da Sociedade de Jesus. O primeiro branco a pisar as terras do Continente fora o jesuíta Roque Gonzales. Todos sabiam disso.

Na manhã do dia em que a filha de Joca Rodrigues ia casar-se com o moço de Porto Alegre, o pe. Lara ficou sentado nos degraus da capela, falando sozinho, lembrando, comparando, imaginando... Se ele vivesse tanto quanto Matusalém, ia ver muita coisa engraçada. Mas com aquelas dores no peito não esperava ir muito longe. Seus olhos voltaram-se para o alto da coxilha onde ficava o cemitério. Por trás daquela cerca de pedra estava a população mais tranquila de Santa Fé; uma gente que não incomodava ninguém, não falava, não ria, não dançava. Suas almas estavam num outro mundo. Para uns, esse outro mundo era o céu; para outros, o inferno; para outros, o purgatório. Mas para onde iria ele? Teria o grande privilégio de ver Deus? Imaginou-se entrando no céu, erguendo os olhos para a face resplandecente do Criador. Convenceu-se de que sua imaginação não o ajudava. Achava também que seria demasiada pretensão sua esperar que, depois de morto, fosse levado diretamente à presença de Deus.

Um homem passou naquele momento e perguntou:

— Falando sozinho, vigário?

O pe. Lara caiu em si e ficou meio encabulado. Mas respondeu com sereno bom humor:

— Coisas de velho caduco... coisas de velho caduco.

8

Depois do casamento na capela houve jantar e baile no terreiro da casa de Joca Rodrigues. Praticamente toda a população de Santa Fé compareceu à festa com as suas melhores roupas. Ao anoitecer sentaram-se em bancos sem encosto (pranchas de madeira em cima de pedras e tijolos empilhados) ao longo duma grande mesa feita de várias mesinhas emendadas e a cuja cabeceira estavam sentados os noivos, tendo à direita os pais da moça e à esquerda o pe. Lara. Em cima da mesa viam-se pratos e travessas cheios de pedaços de galinha assada, carne de porco com rodelas de limão, batatas-doces e aipim. No fundo do quintal preparava-se o churrasco: dezenas de espetos fincados em bons nacos de carne estavam colocados sobre um longo valo raso, no fundo do qual luziam braseiros; a graxa derretida caía nas brasas, com um chiado, e uma fumaça cheirosa subia no ar, enquanto duas pretas de vez em quando mergulhavam ramos de pessegueiro dentro dum balde com salmoura e depois aspergiam os churrascos, trazendo os que ficavam prontos para a mesa, onde eram disputados aos gritos. Os homens usavam suas facas, que tiravam da cintura ou das botas, e com elas cortavam o assado, muitas vezes respingando o rosto com o sumo sangrento da carne. Nas barbas negras de alguns deles a farinha branquejava como geada sobre campo de macegas recém-queimado. O dono da casa dirigia o jantar, gritava para os churrasqueadores, recomendando: "Um bem assado!" ou "Que venha uma boa costela" ou ainda "Um gordo aqui pro Chico Pinto!". No princípio da festa notara-se um silêncio um pouco constrangido. Mal, porém, o vinho começou a encher os copos e subir à cabeça dos convivas, eles se puseram a falar mais alto, a rir, a contar histórias, entusiasmados. As mulheres, mais quietas, limitavam-se a sorrir, de cabeça meio baixa. O terreiro estava iluminado por muitas lamparinas de azeite e sebo dentro de guampas postas em cima da mesa ou presas nos galhos das laranjeiras e pessegueiros.

De seu lugar Rodrigo cocava Bibiana com os olhos famintos. A moça estava junto de Bento Amaral, não muito longe do lugar do capitão. Este podia ver-lhe bem o rosto, graças à lamparina que havia sobre a mesa, bem na frente dela. Estava linda no seu vestido branco, com um fichu no pescoço, os cabelos escuros puxados num coque, no qual estava metido um pente espanhol. Bento tinha o rosto voltado para ela e dizia-lhe alguma coisa. Era um homem grandalhão, de cabelos crespos muito lustrosos e suíças grossas; e era talvez, com exceção do noivo, o homem mais bem vestido da festa. Bibiana, porém, parecia não estar muito interessada no que ele dizia, porque enquanto o rapaz falava ela brincava com uma bolinha de miolo de pão, rolando-a entre o indicador e a mesa, de olhos baixos, séria, o sobrolho franzido. Rodrigo dizia para si mesmo: "Vou falar com ela hoje. Vou falar com ela hoje". Mastigava o seu churrasco com gosto, bebia o seu vinho estralando a língua. Sentia aos poucos um calor bom apoderar-se-lhe do corpo e ao mesmo tempo ficava um pouco inquieto, pensando no que poderia acontecer se ele se embriagasse e "perdesse a tramontana". O gaiteiro começou a tocar e os primeiros acordes do instrumento foram abafados pela gritaria de aplauso. Depois as vozes silenciaram um pouco e o homem — mulato de cara larga picada de bexigas — começou a tocar uma tirana. Estava sentado numa cadeira, no meio do terreiro, o chapéu quebrado na frente, o barbicacho quase a entrar-lhe na boca; tocava de olhos fechados, as sobrancelhas erguidas, e segurava a gaita com frenética paixão, como se estivesse abraçando uma mulher. Os noivos comiam pouco, mas olhavam-se muito e sorriam um para o outro. O padre estava empenhado numa conversa com o pai da noiva. Rodrigo olhou um momento para a filha de Joca Rodrigues: viu-a ali de véu e grinalda contra um fundo escuro de árvore na sombra e prometeu a si mesmo que — custasse o que custasse — dentro de algum tempo quem estaria na cabeceira duma mesa como aquela seriam ele e Bibiana. Afogou suas visões num novo gole de vinho, bem no momento em que alguém lhe passava por cima do ombro um espeto com um churrasco cheiroso e suculento. Largou o copo, segurou o espeto e gritou:

— Sirvam-se, patrícios!

Muitas mãos e facas aproximaram-se do churrasco.

O gaiteiro continuava a tocar a tirana. Rodrigo via por sobre sua cabeça um vago brilho de estrelas e, num relance, lembrou-se das suas noites de guerra, nos acampamentos da Banda Oriental em que, cansados de brigar, eles se deitavam, alguns com suas chinas. Quase sempre havia alguém que tocava cordeona ou guitarra e cantava. E ele, deitado de papo para o ar sobre os arreios, com as mãos enlaçadas contra a nuca, ficava olhando as estrelas, pensando nas muitas mulheres que tivera, em como era bom estar ainda vivo. A carne que davam às tropas era pouca e ruim; a água que bebiam era turva. Mas era bom estar vivo. E agora ali sentado àquela mesa — as faces ardentes, uma comichão nas mãos e nos pés — olhando para Bibiana ele concluía mais uma vez que a melhor coisa do mundo era estar vivo. Só lamentou que não pudesse virar a mesa com um pontapé, dar um empurrão em Bento, tomar Bibiana pelo braço, montar a cavalo, levar a moça na garupa e ir deitar-se com ela em meio do campo, sob aquelas mesmas estrelas que o haviam acompanhado em tantas campanhas.

Bibiana olhou para ele furtivamente. E no rápido instante em que seus olhos se encontraram Rodrigo viu, sentiu que a moça o amava. Essa potranquinha está laçada — concluiu. — Já botei nela a minha marca. Meteu na boca um naco de carne gorda, triturou-o nos dentes fortes e pensou ainda: Minha marca não sai mais. Nunca mais. Mastigou bem a carne e depois ajudou-a a descer goela abaixo com um gole de vinho tinto. Afrouxou o nó do lenço. "Está quente, amigo", murmurou, dirigindo-se ao homem que tinha a seu lado. O outro não ouviu e continuou a comer, de cabeça muito baixa, como um porco com o focinho metido no cocho. Os sons rasgados e chorosos da gaita enchiam o ar. Um ventinho morno bulia com as folhas, fazia oscilar a chama das lamparinas. Homens iam e vinham trazendo churrascos ou levando espetos nus. A vida era boa — pensava Rodrigo. Ele havia de casar com Bibiana. Esta noite tiro a minha dúvida. Vou falar com ela.

Alguém pediu silêncio. O padre levantou-se, fez um breve discurso e no fim pediu que bebessem um brinde à felicidade dos noivos. Tiniram copos. Os convivas estavam de pé quando novamente os olhos de Bibiana se encontraram com os olhos de Rodrigo e por assim dizer chocaram-se de leve como copos que se tocam num brinde. Minha marca é pra sempre — pensou o capitão.

Sentaram-se. Foi só então que Rodrigo começou a sentir que o observavam. Voltou a cabeça e deu com os olhos de Pedro Terra. Sorriu e fez-

-lhe um sinal amável. O pai de Bibiana limitou-se a inclinar a cabeça, sério. Mas Juvenal, que estava do lado do pai, ergueu a mão para Rodrigo num aceno amistoso. O capitão levantou o copo e gritou-lhe um "Salud!" que se perdeu em meio da algazarra.

9

Quando o jantar terminou, a mesa foi desmanchada, os bancos arredados e o terreiro ficou livre para o fandango. No princípio houve um pouco de acanhamento, os moços não se decidiam a tirar as moças para dançar. Mas Joca Rodrigues os animou, convidando Rosa para a primeira marca. Depois puxou os noivos para o terreiro. Joca sabia que as gentes das ilhas eram dançadeiras e alegres; tinham trazido para o Continente muitas das danças que se dançavam nas vilas e na campanha, como a chimarrita, o vira e tantas outras. Novos pares vinham para o centro do terreiro e Ataliba, o tocador de violão, aboletou-se no seu mocho, debaixo de um pessegueiro, e começou a pontear a guitarra. Alguém gritou: "Aí, Ataliba velho!". Rodrigo estava encostado no grosso tronco de uma laranjeira e olhava em torno, meio atarantado. A bebida lhe dera uma tontura boa e quando caminhava ele tinha a impressão de que o chão lhe fugia. Mas não estava tão embriagado que não compreendesse que estava embriagado e que se não se contivesse poderia fazer alguma asneira. Não queria de modo algum entornar o caldo. Desejava falar com Bibiana sem precisar brigar com ninguém. Se provocasse algum escândalo, talvez perdesse a moça para sempre. Lá estava ela junto de Bento, que faceiramente ajeitava o lenço, o cachorro! O diamante do anel do herdeiro do velho Amaral rebrilhava como seu cabelo besuntado de vaselina perfumada. Rodrigo imaginou-se a atravessar o terreiro, na direção do moço; viu-se a passar a mão por aquela cabeleira e despenteá-la... Por um instante o desejo de fazer isso foi tão grande que ele abraçou o tronco, como para evitar que suas pernas o levassem até Bento Amaral.

— Vai dançar com a árvore? — perguntou-lhe alguém.

Rodrigo voltou a cabeça e viu o vigário.

— Ah! Pois é, padre. As moças de Santa Fé não me querem.

O pe. Lara acendeu um cigarro e olhou em torno. Depois, lançando um olhar enviesado para Rodrigo, perguntou:

— Quantos copos de vinho bebeu, capitão?

— Uns dez...

— Por que não vai dar um passeio na praça e depois volta pra cá?

— Está com medo de que eu faça alguma loucura?

— Para lhe ser franco, estou.

— Não se preocupe. Estou enxergando mui claro. Não quero fazer barulho. Quero mas é falar com dona Bibiana.

O vigário sacudiu a cabeçorra.

— Não faça isso. O Bento pode ficar brabo.

— Que morda o rabo!

— Por que não deixa a coisa pra outra vez?

Rodrigo não respondeu. Olhava a grande roda que se havia formado no meio do terreiro.

— Vamos dançar o anu! — decidiu Joca Rodrigues. E bateu palmas, pedindo silêncio. As vozes se aquietaram e o pai da noiva dirigiu-se a Bento: — Vosmecê vai marcar.

— Está feito! — respondeu o moço. Tinha uma voz gorda e retumbante.

— Vamos, Ataliba! — gritou Joca para o violeiro. — O anu!

Ataliba começou a tocar.

— Tudo cerra! — gritou Bento, cujo par era Bibiana Terra.

Homens e mulheres deram-se as mãos e fecharam a roda. O sapateado começou. Os homens batiam com as esporas ou o salto das botas no chão duro do terreiro, enquanto as mulheres meneavam o corpo.

— Cadena! — mandou Bento.

Marcava a dança sem alegria nem graça. Dava ordens: era ainda o senhor de Santa Fé a falar aos outros de cima de seu cavalo. E no tom de sua voz Rodrigo percebia um certo orgulho, como se ele estivesse sempre a pensar assim: sou um Amaral. Eu mando. Sou um Amaral. Eu mando.

Os pares obedeciam. Quebravam a roda, os cavalheiros postavam-se à mão direita das damas. As figuras se sucediam e todos pareciam divertir-se muito.

Quando houve uma pausa na dança, Ataliba cantou:

O anu é pássaro preto,
Passarinho de verão.
Quando canta à meia-noite
Dá uma dor no coração...
Folga, folga, minha gente,
Que uma noite não é nada;
Se não dormires agora,
Dormirás de madrugada.

Dormirás de madrugada — pensou Rodrigo. — Mas com quem? Com quem? E não tirava os olhos de Bibiana. Via os pares passarem, ouvia o sapateado, a voz do violeiro...

Depois do anu dançaram a chimarrita e o tatu. E no meio da balbúrdia Rodrigo de quando em quando via os olhos de Bibiana buscarem os seus, oblíquos e ariscos; esperava longos minutos por esse encontro breve e leve. A seu lado o pe. Lara observava-o disfarçadamente. Houve uma pausa em que a música cessou. Os homens passavam os lenços pelos rostos suados; as mulheres abanavam-se com seus leques ou fichus, sentavam-se, diziam-se segredinhos com as cabeças muito juntas. O gaiteiro veio substituir Ataliba. E, quando os pares começavam a se preparar para a tirana grande, Rodrigo sentiu que havia chegado sua hora. Tinha esperado demais. A paciência dum homem tem limites. Apertou o braço do padre e disse:

— Padre Lara, não estou bêbado nem nada. Olhe a minha mão. — Estendeu o braço e abriu os dedos. Estavam firmes, sem o menor tremor. — Vou tirar a Bibiana para dançar. Quero que vosmecê esteja perto pra ver como vou me comportar.

Arrastou o padre consigo. Quando o viram aproximar-se de Bibiana, que já estava de pé, na frente de Bento, os outros pares se afastaram como se todos estivessem esperando por aquele momento especial. De repente houve um silêncio. Até o gaiteiro parou. Foi um silêncio tão grande que Bibiana chegou a temer que os outros pudessem ouvir as batidas de seu coração.

Rodrigo fez uma cortesia na frente da moça e perguntou:

— Vosmecê quer me dar a honra desta marca?

Ela quis dizer alguma coisa mas não pôde falar. O pe. Lara olhava para Bento com uma expressão desolada na cara. Houve um curto segundo de indecisão. Mas o filho de Ricardo Amaral falou:

— Dona Bibiana já tem par.

Rodrigo não se perturbou, olhou para o outro, firme, e disse com calma:

— Vosmecê me perdoe, mas estou falando é com a moça.

— Mas eu estou le respondendo.

O sacerdote tomou do braço de Rodrigo, tentando arrastá-lo dali.

— Capitão... — começou ele a dizer.

Rodrigo desembaraçou-se do padre e, fazendo nova curvatura para Bibiana, repetiu o convite.

— Vosmecê quer me dar a honra de dançar comigo a outra marca?

Os convivas aproximaram-se e em breve formavam um círculo, no centro do qual estavam Bibiana, os dois homens que a requestavam e o padre.

— Já le disse que ela tem par!

Rodrigo contemplava Bibiana, sem dar nenhuma importância ao que o outro dizia.

— Se vosmecê disser que não quer dançar comigo — prosseguiu ele —, vou-me embora desta casa. Se vosmecê disser que não quer saber de mim, vou-me embora de Santa Fé para nunca mais voltar. Mas, por favor, diga alguma coisa!

Bibiana tinha a impressão de que seu coração era como um pássaro louco, como um anu que ela tinha encerrado no peito e que agora batia com as asas e com o bico em suas carnes, querendo fugir. Sentia as pernas moles, a cabeça tonta. De olhos baixos, as faces ardendo, não sabia responder, e já agora nem sequer escutava o que os outros diziam. Não queria que aqueles homens brigassem por sua causa. Mas não queria também que Rodrigo fosse embora. Que fazer, meu Deus? Que fazer?

— Podemos resolver tudo isso amigavelmente — disse o padre, com voz um pouco trêmula. — Vamos, rapazes. No fim de contas não há motivo.

Bento Amaral interrompeu-o:

— Com certos tipos a gente só resolve as coisas de homem para homem.

Os outros admiravam-se da serenidade de Rodrigo, que encarava Bento a sorrir. E, quando falou, dirigiu-se aos que o cercavam:

— Vosmecês estão vendo. Esse moço está me provocando...

Insolente, Bento Amaral botou as mãos na cintura e disse:

— Pois ainda não tinha compreendido?

Bibiana sentiu que alguém lhe pegava do braço e a arrastava para longe dos dois rivais, abrindo caminho por entre os convivas. Não ergueu os olhos, mas sentiu que esse alguém era o pai.

— Vamos lá pra dentro resolver isto como cavalheiros... — sugeriu Joca Rodrigues, batendo timidamente no ombro de Bento.

— Não vejo nenhum cavalheiro na minha frente — retrucou este, mais mordendo do que pronunciando as palavras. — Vejo é um patife!

O sangue subiu à cabeça de Rodrigo, que teve de fazer um esforço desesperado para não saltar sobre o outro. Com voz surda replicou:

— Por menos que isso já escrevi a faca a primeira letra de meu nome na cara dum patife.

Bento deu um passo à frente, arremessou o braço no ar e sua mão bateu em cheio numa das faces do cap. Cambará.

E, quando Rodrigo, espumando de raiva, quis saltar sobre ele, sentiu que quatro braços o seguravam e retinham pelos ombros e pela cintura. Esperneou, vociferando, fazendo um esforço desesperado para se desvencilhar:

— Me larguem! Canalhas! Me larguem! Traidores!

E atirava pontapés para todos os lados.

— Larguem o homem! — pedia Bento. — Larguem!

Atarantados, Joca Rodrigues e o padre não sabiam o que fazer. O vigário viu um ódio feroz no rosto do capitão. Mais que isso: viu um desejo de morte, de sangue. Compreendeu também que já àquela altura dos acontecimentos não era mais possível resolver a questão sem violência. No meio da confusão ouviu-se de repente uma voz:

— Isso não é direito! O homem foi esbofeteado e agora não deixam ele reagir. Não é direito!

Era Juvenal Terra quem falava.

— Pois larguem o patife! — dizia Bento. — Larguem!

Mas os homens que seguravam Rodrigo não o largavam.

— Não podemos soltar o capitão. Vai haver sangue! — disse um deles.

Juvenal replicou:

— Depois dessa bofetada não pode deixar de haver sangue.

E o padre ficou surpreendido ao perceber no rosto do filho de Pedro Terra uma expressão que só podia ser ódio mal contido: uma surda raiva velava-lhe a voz. E o vigário pela primeira vez percebeu como Juvenal detestava Bento Amaral.

— Não quero briga dentro da minha casa — declarou Joca Rodrigues.

Sem tirar os olhos de Bento, Juvenal tornou a falar:

— Não precisa ser dentro de sua casa, seu Joca. Pode ser em qualquer outro lugar. O mundo é muito grande.

Rodrigo sentia arder-lhe o rosto, como se Bento tivesse encostado nele um ferro em brasa. Sua garganta estava seca e irritada. Seus dentes rilhavam. Mas ele já não fazia mais esforços para se libertar.

— Pois estou à disposição do seu amigo — anunciou Bento, encarando Juvenal.

O filho de Pedro Terra apertou os olhos e a voz.

— É muito fácil dizer isso, Bento, quando a gente tem pai alcaide e miles e miles de capangas.

— Que é que vosmecê quer dizer com isso?

— Que é muito bonito pro filho do coronel Ricardo se fazer de valentão. Porque neste povoado e em muitas léguas em roda dele quem arranhar o dedo mindinho de vosmecê não escapa com vida.

O rosto de Bento estava vermelho de cólera, sua testa reluzia e em seus olhos, que agora estavam fitos no rosto de Juvenal, havia uma expressão que era ao mesmo tempo rancor e espanto.

— Não seja desaforado!

— Que foi que aconteceu pro Juca da Olaria?

O coração do padre desfaleceu. Ele sabia que o cel. Ricardo tinha mandado um de seus peões matar o Juca da Olaria porque o rapaz lhe "lastimara" o filho numas carreiras.

— E o Maneco Bico-Doce? E o Mauro Pedroso?

— Cale essa boca, Juvenal! — interveio Joca Rodrigues, tentando levar o rapaz dali.

— Não calo, Joca, não calo. Se vosmecês têm medo de falar, eu não tenho. Por muito tempo andei com essas coisas atravessadas na garganta. Agora chegou a hora. Agora digo tudo.

Bento parecia engasgado. Grandalhão, o largo peito a subir e a descer ao compasso de uma respiração irregular, o anel a brilhar no dedo, ele ali estava como um touro que se prepara para o arremesso. E as palavras de Juvenal eram provocadoras como um pano vermelho.

Nesse momento Rodrigo gritou:

— Amigo Juvenal, esta parada é minha. Me larguem!

Juvenal não tirava os olhos de Bento.

— A parada é de vosmecê, capitão, eu sei. Mas ainda não terminei. Todo mundo aqui tem medo dos Amarais. Pois eu, se tive algum, agora perdi. Não é o vinho. Só bebi refresco de limão. Posso estar bêbado, mas é de raiva. Pois é. Ninguém diz nada, ninguém faz nada. Hai anos que a gente vive aqui encilhado pelos Amarais. O velho Ricardo Amaral tirou a terra do meu pai. Botou a corda no pescoço do coitado, quando ele ficou mal de negócios. Todo mundo sabe que a maior parte dos campos que esse velho tem foi roubada. Só sinto é ele não estar aqui pra ouvir estas verdades.

Bento bufava, mas não dizia nada, como que inibido pela surpresa.

Os homens que seguravam Rodrigo olhavam para Bento, como a pedir-lhe instruções. O filho de Ricardo Amaral tornou a passar a mão pela testa suada e disse, altivo, dirigindo-se a Rodrigo:

— Estou à sua disposição.

— Onde? — Foi só o que o capitão pôde perguntar.

O padre percebeu que no estado em que ele se encontrava era capaz de beber o sangue do outro.

— Montamos a cavalo e vamos pro alto duma coxilha.

Juvenal intrometeu-se:

— E os capangas de vosmecê vão atrás e ajudam a liquidar o capitão, não é?

Bento cresceu sobre Juvenal, que ficou firme onde estava, encarando-o.

— Isso é uma calúnia.

— Pois então prove que é. Dê ordem aos seus homens pra não seguirem vosmecê.

Bento olhava em torno, atarantado.

— Depressa com isso! — gritou Rodrigo, fazendo ainda um esforço por se livrar dos braços que o prendiam.

Juvenal continuou:

— E se vosmecê é um homem de honra, prometa aqui diante de toda esta gente que se o capitão ferir ou matar vosmecê ele pode ir embora em paz. Prometa!

Bento transpirava, arquejante, mas não dizia nada. Era como se aqueles muitos pares de olhos que estavam postos nele irradiassem calor, fazendo-o suar e dando-lhe um mal-estar insuportável.

— Está bem — disse, soturno. — Dou minha palavra de honra. — Dirigiu-se para um dos que seguravam Rodrigo. — Se esse homem me ferir ou me matar, podem deixar ele ir embora em paz. — Aproximou-se do vigário. — Padre, vosmecê fale com meu pai, explique a ele que empenhei minha palavra de honra.

O pe. Lara tinha os lábios trêmulos e sua respiração parecia mais agoniada que nunca.

— Meninos, acho que podíamos ajustar tudo honradamente sem ser necessário um duelo — sugeriu.

— Agora é tarde, padre! — gritou Rodrigo. — Se eu não botar minha marca na cara desse cachorro, não me chamo mais Rodrigo Cambará.

Isso pareceu enfurecer ainda mais Bento Amaral.

— Vamos embora — disse ele. — O quanto antes. Cada qual no seu cavalo. Só os dois. Seguimos na direção da lagoa... — Calou-se, ofegante. — Chegando atrás do cemitério, apeamos...

— Arma de fogo? — perguntou Rodrigo.

— Adaga.

Os olhos de Rodrigo brilhavam.

— É melhor. Leva mais tempo.

Bento deu meia-volta e foi pedir que lhe trouxessem o cavalo. Formaram-se os grupos, romperam as conversas. Algumas mulheres tinham os olhos arregalados de susto e não podiam falar. Uma delas chorava, tomada duma crise de nervos, enquanto as negras da casa lhe preparavam um chá de folhas de laranjeira.

Quando soltaram Rodrigo, este se aproximou do pe. Lara e disse:

— Tome a minha pistola. — Deu-lhe a arma. — Na casa do Nicolau, debaixo da cama, tem um baú e no baú está uma guaiaca com todo o meu dinheiro. Se eu morrer, dê metade do dinheiro pro Juvenal e fique com a outra metade pra sua igreja.

O padre contemplava-o, estupidificado, incapaz de pronunciar uma palavra, de fazer o menor gesto, de dar o menor sinal de gratidão ou de pesar: apenas ronronava, de boca semiaberta.

Um homem aproximou-se deles e comunicou:

— O seu Bento disse que daqui a pouquinho está esperando vosmecê debaixo da figueira. É de lá que os dois têm de sair.

Rodrigo foi até seu quarto, acendeu uma vela e começou a procurar os arreios. Estava excitado, feliz, e no seu nervosismo assobiava baixinho. Foi então que percebeu a presença de alguém mais ali no quarto. Num canto escuro estava um vulto parado. Reconheceu nele a mulher de Nicolau.

— Vou pelear, Paula, vou pelear.

Ela continuou silenciosa.

— Vou botar minha marca na cara do Bento Amaral.

Rodrigo puxou os arreios de debaixo da cama e apanhou a adaga que estava sob o travesseiro. De repente uma ideia louca lhe veio à cabeça e lhe tomou conta do corpo como um veneno de ação instantânea. Deu dois passos na direção de Paula, agarrou-a pela cintura, ao mesmo tempo que lhe erguia a saia. Deitou-a no catre e amou-a com pressa e fúria, pensando em Bibiana. Depois se ergueu, botou os arreios nas costas, a adaga na cinta, saiu para fora e foi encilhar o cavalo.

A noite estava clara, morna e mansa. Um vaga-lume cruzou o ar na frente de Rodrigo. Era esquisito, mas ele estava com a impressão de que tinha tido nos braços a filha de Pedro Terra.

Montou a cavalo e dirigiu-se para a figueira grande. Havia junto dela um grupo, no meio do qual se achava Bento Amaral montado no seu cavalo tordilho.

Juvenal Terra transmitia instruções. Bento sairia pela direita e Rodrigo pela esquerda, a galope, para se encontrarem atrás do cemitério. Não haveria testemunhas, pois existia no país uma lei contra duelos. Os adversários deviam apear, arregaçar as mangas e brigar. O que escapasse viria depois até a praça dar o sinal para irem buscar o corpo do outro. Mas, se dentro de uma hora nenhum dos dois aparecesse, um grupo devia ir ver o que tinha acontecido.

Rodrigo escutou as instruções e aprovou-as com um aceno de cabeça. O perfume da vaselina que vinha do cabelo de Bento fazia seu ódio crescer ainda mais, e o capitão pensava naquele rosto largo, duma boniteza desagradável, e já via nele sua marca: a primeira letra de seu nome, um *R* maiúsculo de sangue...

— Podem ir — gritou Juvenal.

Os dois homens esporearam os seus cavalos e se foram.

O tropel das patas encheu a praça e a noite. Pelas frestas de algumas janelas, mulheres espiavam.

10

Chegaram quase ao mesmo tempo ao ponto marcado para o encontro. Apearam em silêncio e amarraram seus cavalos. Rodrigo viu quando Bento, a uns vinte passos de distância, tirava o chapéu, o casaco e começava a arregaçar as mangas. Fez o mesmo. Da lagoa próxima vinha um coaxar de sapos.

O crescente no céu parecia uma talhada fina de melancia. Se eu mato esse homem não posso ficar em Santa Fé e perco Bibiana — refletiu Rodrigo. — Se ele me mata, perco tudo. É uma situação dos diabos.

Viu a adaga lampejar nas mãos do outro. Um vento morno batia-lhe no rosto, entrava-lhe pelas narinas com um cheiro de água. No campo vaga-lumes pingavam de fogo o corpo da noite.

— Pronto? — gritou Bento.

— Pronto!

E aproximaram-se um do outro, lentos, meio encurvados. Pararam quando a distância que os separava era pouco mais de cinco passos e ficaram a se mirar, negaceantes. Rodrigo ouvia a respiração arquejante do inimigo.

— Vou te mostrar o que acontece quando se bate na cara dum homem, patife — rosnou ele. E sentiu que a raiva o fazia feliz.

— Quem vai te mostrar sou eu, canalha.

E dizendo isto Bento avançou brandindo a adaga. Os ferros se encontraram no ar com violência e tiniram. No primeiro momento Rodrigo teve de recuar alguns passos. Mas logo firmou o pé no chão e desviou todos os pranchaços do outro. Bento quis atingir-lhe a cabeça com o lado da adaga, mas o capitão aparou o golpe no ar com tal firmeza que a arma do adversário se lhe escapou da mão e caiu ao solo. Rápido, Rodrigo deu-lhe um pontapé e atirou-a longe, fora do alcance de Bento, que começou a recuar devagarinho, arquejando como um animal acuado.

— Pode pegar a adaga! — gritou-lhe Rodrigo. — Não brigo com homem desarmado.

Bento correu, apanhou a arma e tornou a arremeter. Por alguns instantes os dois inimigos terçaram armas, disseram-se palavrões, enquanto suas camisas se empapavam de suor. Por fim se atracaram num corpo a corpo furioso, cabeça contra cabeça, peito contra peito. O braço direito de Rodrigo estava no ar, seguro à altura do pulso pela mão esquerda de Bento, cuja direita tentava aproximar a ponta da adaga do baixo-ventre do adversário.

— Vou te botar minha marca na cara, pústula!

— Vou te tirar as tripas pra fora, corno!

Empregando toda a sua força, que o ódio aumentava, o capitão conseguiu prender a mão direita do outro entre suas coxas; e depois, imobilizando com a sinistra o braço que Bento Amaral tinha livre, com a destra segurou a adaga e aproximou-lhe a ponta da cara do inimigo, que atirou a cabeça para trás, num pânico, e começou a bufar e a cuspir.

— Te prepara, porco! — gritou Rodrigo. — É agora.

E riscou-lhe verticalmente a face. O sangue brotou do talho. Bento gemia, sacudia a cabeça e houve um momento em que seu sangue respingou o rosto de Rodrigo e uma gota lhe entrou no olho direito, cegando-o por um breve segundo.

— Falta a volta do *R*!

E num golpe rápido fez uma pequena meia-lua, às cegas. Bento cuspiu-lhe no rosto, frenético, e num repelão safou-se e tombou de costas, deixando cair a adaga.

Rodrigo imaginou que ele ia levantar-se, apanhar de novo a arma e voltar ao ataque. Mas Bento, sentado no chão, com a mão no rosto, ficou a olhar atarantadamente para todos os lados. Os sapos continuavam a coaxar. Vaga-lumes passavam entre os dois inimigos. Uma ave noturna saiu de dentro do cemitério e sobrevoou a coxilha, num seco ruflar de asas.

— Não vou te matar, miserável — disse Rodrigo. — Mas não costumo deixar serviço incompleto. Quero terminar esse *R*. Falta só a perninha...

E caminhou para o adversário, devagarinho, antegozando a operação e lamentando que não fosse noite de lua cheia para ele poder ver bem a cara odiosa de Bento Amaral.

Na casa de Pedro Terra o pe. Lara acendia de instante a instante o cigarro e esquecia de fumá-lo. Estava desolado. Sabia o que ia acontecer quando chegasse à estância a notícia do duelo. Se acontecesse alguma coisa de mau a Bento, seu pai poria o mundo abaixo. E ele, Lara, ouviria horrores, seria repreendido por não ter tido autoridade suficiente para impedir o duelo. Imaginava o velho Amaral a trovejar:

— Por que não mandou me avisar? Por que não fez isso? Por que não fez aquilo?

Pedro Terra conservava-se em silêncio, de cara fechada. Juvenal caminhava dum lado para outro. O pai ouvira tudo quanto ele dissera a Bento Amaral, mas não fizera nenhum comentário. Teria ele gostado do destampatório? Ou seria que agora pensava com temor nas consequências daquele desabafo? Fosse como fosse, não se arrependia do que tinha dito. Pouco lhe importava o que os outros pensassem. Estava cansado de ser mandado, de dizer sempre *sim senhor*, de pedir a bênção aos mais velhos. Pouco me importa — pensava ele. E sacudia os ombros para reforçar seus pensamentos.

Fechada no quarto, deitada na cama, Bibiana chorava, com o rosto metido no travesseiro. Chorava e pensava na avó. Se ela estivesse viva, provavelmente teria uma palavra para explicar tudo aquilo, para a consolar. Bibiana não tinha coragem de ir para a sala e fazer frente à família. Tudo aquilo havia acontecido por sua causa. Fazia já tempo que os homens tinham ido para a coxilha do cemitério, mas nenhum ainda voltara. Ela havia rezado diante do velho Cristo sem nariz e feito uma promessa. "Se nenhum dos dois morrer, prometo nunca mais comer doce." Mas achara a penitência fraca. Prometera então rezar cem ave-marias e cem padre-nossos e ter uma vela das grossas sempre acesa aos pés da imagem de Nossa Senhora da Conceição, padroeira do povoado. A seus ouvidos chegava o rumor de conversas da peça contígua. Mas a voz que ela ouvia com mais clareza, a voz que não lhe saía da memória era a do cap. Rodrigo. "Se vosmecê não quer dançar comigo, vou-me embora desta casa. Se não quer saber de mim, vou-me embora de Santa Fé..." Na penumbra do quarto Bibiana abriu os olhos úmidos e de repente teve um pensamento horrível. O cap. Rodrigo podia já estar morto... De novo enfurnou o rosto no travesseiro.

Ouviu-se um tropel. Pedro, Juvenal e o padre precipitaram-se para o centro da praça, onde grupos de homens conversavam. Um cavalheiro surgiu na boca duma das ruas.

— É o capitão... — disse alguém.

— Não é. O cavalo é o tordilho do Bento.

Finalmente cavalo e cavaleiro aproximaram-se. E todos viram que era mesmo Bento Amaral. Não apeou. Apertava contra a face um lenço todo ensanguentado. Quando falou, a voz lhe saiu abafada e trêmula.

— Podem ir buscar o corpo... — disse.

Deu de rédeas, esporeou o animal e saiu a galope na direção do casarão dos Amarais.

Juvenal, Joca Rodrigues e mais dois homens montaram em seus cavalos e dirigiram-se a todo galope para a coxilha do cemitério.

Encontraram Rodrigo Cambará estendido no chão, os braços abertos, a camisa branca toda manchada de sangue. Juvenal ajoelhou-se ao lado dele e auscultou-lhe o coração.

— Ainda está vivo — disse. Acendeu a lanterna que havia trazido e à sua luz viu o rosto de Rodrigo, que estava mortalmente pálido e de olhos fechados. Abriu-lhe a camisa ao peito e descobriu a ferida:

— Eu bem que estava desconfiado — disse. — Isto não é ferimento de adaga... Vamos levar o homem ligeiro pro povoado. Pode ser que a gente ainda salve ele.

Perto do muro do cemitério o cavalo de Rodrigo pastava tranquilamente.

II

Juvenal levou o ferido para sua casa e a novidade se espalhou depressa por toda a vila. A história apresentava dois aspectos culminantes — Bento Amaral havia cometido uma traição: levara uma pistola escondida e servira-se dela; Rodrigo estava muito mal: uma bala lhe atravessara o pulmão. Ninguém sabia dos detalhes da luta, porque o ferido não podia falar e Bento tinha ido embora para sua estância, sem falar com ninguém. Mas não era muito difícil imaginar o que se passara. Tinham visto Bento chegar à praça, depois do duelo, com uma das faces tapada por um lenço ensanguentado; muitos se lembravam da ameaça do capitão: "Se eu não botar a minha marca na cara desse cachorro, não me chamo mais Rodrigo Cambará". O pe. Lara, por sua vez, declarara que Rodrigo antes de partir para a coxilha do cemitério lhe confiara sua pistola; Juvenal guardava a camisa do ferido que a pólvora chamuscara, provando que o tiro fora disparado à queima-roupa, decerto quando estavam ambos atracados num corpo a corpo.

— Muito feio — resmungava o padre, quando lhe falavam no assunto. — Muito feio. Indigno dum homem de honra.

E sacudia a cabeçorra, pigarreava, ronronava, fazia e desfazia o seu cigarro, imaginando o que ia acontecer quando o cel. Ricardo lhe viesse falar no assunto. E se Rodrigo morresse? Era o diacho. E se se salvasse, levantasse da cama e quisesse vingar-se do outro? Também era o diacho. Lembrava-se do que Juvenal dissera a Bento no terreiro do Joca Rodrigues; àquela hora o cel. Amaral decerto já sabia de tudo. Uma desgraça completa!

A história da traição de Bento Amaral corria pela cidade de boca em boca. "O Bento é valente quando anda com os capangas", murmurou um, olhando a medo para os lados. Uma velha que fazia renda de bilro em sua casa disse ao marido: "Eu só queria era ver a cara do seu Bento com a marca do capitão".

Um novo dia amanheceu e a casa dos Amarais continuou fechada. Agora o povoado esquecia os Amarais para se preocupar com Rodrigo Cambará. A venda do Nicolau vivia cheia de homens que comentavam o caso. Santa Fé queria saber o que se passava no quarto da meia-água de Juvenal Terra, onde o cap. Cambará ardia em febre, entre a vida e a morte. Tinham chamado todos os curandeiros das redondezas e diziam que Juvenal não abandonava a cabeceira do doente. E as notícias mais desencontradas corriam, espalhadas por gente da casa de Juvenal ou então por alguém que lhe batia à porta para saber como ia passando o capitão. Dizia-se:

"Não passa desta noite. Está botando sangue pela boca." "Já extraíram a bala. Mas diz que ficou um buraco deste tamanho nos bofes do homem." "Está com tanta febre que a testa dele queima como chapa de fogão." "Botaram teia de aranha no ferimento." "A negra velha Mãe d'Angola benzeu ele, hoje de manhã. Parece que a febre diminuiu." "Perdeu muito sangue. Está branco que nem vela de cera." "Diz que está variando e que só fala na filha do Pedro Terra." "A ferida parece que arruinou." "Está perdido. A coisa é pra hoje."

A *coisa* era a morte. Ao entardecer do quinto dia correu a notícia de que Rodrigo Cambará ia morrer. O pe. Lara paramentou-se e foi levar a extrema-unção. Encontrou o doente quase tão branco como a parede caiada do quarto e com uma barba dum castanho meio dourado a cobrir-lhe as faces emagrecidas. Parecia um defunto.

Ao ver o padre, Rodrigo sorriu um sorriso torto de canto de boca. Respirava com dificuldade e parecia haver em seus olhos uma espécie de névoa. Parado aos pés da cama, o pe. Lara, de boca semiaberta, contemplava-o, penalizado.

Juvenal, que estava ao lado do vigário, murmurou:

— A febre passou. Ele está agora muito fraco por causa do sangue que perdeu. Temos de meter comida na boca dele por um canudo. Não tem força pra nada.

Rodrigo continuava a sorrir com metade da boca. O pe. Lara aproximou os lábios do ouvido de Juvenal e disse:

— Não é melhor dar a extrema-unção pra ele?

Juvenal encolheu os ombros.

— Isso é lá com vosmecê, vigário.

O cochicho do padre ficou ainda mais tênue:

— Acho que ele não escapa desta. Vai morrer de fraqueza. É melhor que se confesse, tome a comunhão e morra na paz do Senhor.

— Mas como? — sussurrou Juvenal, sem tirar os olhos do doente. — Ele não pode nem falar.

— Mas entende o que a gente diz?

— Entende. Porque quando eu falo ele faz sinal com os olhos ou então ri.

— Pois basta isso. Já confessei um homem assim.

O pe. Lara botou a mão no ombro de Juvenal.

— Agora vosmecê faça o favor de sair do quarto.

O dono da casa retirou-se. O padre acercou-se da cama. Começava a escurecer dentro daquele pequeno quarto. Uma fita alaranjada de sol atravessava a parede em diagonal, atrás do catre em que estava o capitão. O vigário sentou-se junto do doente e tomou-lhe a mão.

— Escute aqui, meu filho — disse ele. Verificou que não lhe era muito fácil falar, pois estava comovido. Só agora percebia o quanto estimava aquele homem. — Vosmecê está muito doente e então eu achei melhor vir... Está me entendendo?

Rodrigo continuava a sorrir e seus olhos tinham uma fixidez cadavérica.

— Quero que vosmecê se confesse. Não diga nada. Não se apoquente. Vai ser uma coisa ligeira. Está claro que o meu amigo vai sarar. Mas é sempre bom a gente estar prevenido...

O vigário passou a mão pela testa do doente e sentiu-a fresca e úmida de suor. É bom sinal — concluiu. — Mas assim mesmo acho que ele não resiste.

— Escute aqui. — E aproximou-se mais do rosto do outro. — Vosmecê não pode falar, mas pode fazer um sinal com os olhos. Vamos ver se me entendeu... Se entendeu feche e abra os olhos. Vamos ver...

Rodrigo fechou e abriu os olhos.

— Muito bem. Agora vou lhe fazer uma pergunta. Está contente com a minha visita? Se não está, pisque duas vezes. Se está, pisque só uma.

Rodrigo piscou uma vez. O vigário sorriu e os dois homens ficaram por algum tempo lado a lado, ambos a respirar com dificuldade.

— Estamos nos entendendo — disse o padre, esfregando as mãos. — Agora vamos à parte mais importante da nossa conversa. Todos nós temos nossos pecados. Quem é que não comete uma faltazinha de vez em quando? Mas a Igreja instituiu o confessionário para aliviar as consciências, para limpar as almas a fim de que as pessoas possam tomar a comunhão, quer dizer, participar do corpo de Cristo.

Rodrigo tinha fechado os olhos e o padre suspeitou que ele tivesse mergulhado no sono.

— Está me ouvindo?

O ferido tornou a abrir os olhos e piscou uma vez.

— Muito bem, capitão, muito bem. Pois vou lhe poupar trabalho. Não precisamos entrar em detalhes. Basta vosmecê dizer com uma piscadela que se arrepende de todos os seus pecados...

Rodrigo piscou duas vezes e o padre exclamou:

— Não? Pisque uma vez, diga que sim.

Rodrigo piscou duas vezes.

O rosto do vigário era uma careta de aflição.

— Pense no que há depois desta vida, capitão. Não perca a sua alma para toda a eternidade. Vosmecê morre e sua alma vai para o inferno. Se vosmecê se confessar e receber a extrema-unção, sua alma se salvará. Estou aqui não só como sacerdote, mas também como seu amigo. Tudo o que está se passando agora entre nós será conservado em segredo. Neste momento só Deus está nos vendo e ouvindo.

Rodrigo continuava imóvel. Não sorria mais, e suas pálpebras estavam caídas. Na parede a mancha de sol esmaecia cada vez mais.

— Por amor de Deus, capitão. Diga que sim, arrependa-se de seus pecados. Se amanhã vosmecê sarar e sair dessa cama, ninguém ficará sabendo que vosmecê se confessou e comungou. Dou-lhe a minha palavra. Juro perante Deus. Ninguém vai saber. Vamos, capitão! Não seja cabeçudo. Não seja orgulhoso.

Houve uma pausa em que o vigário lutou com um pigarro, alisou os cabelos brancos e tentou descobrir no rosto do outro um sinal qualquer de rendição. Não viu nada: apenas o sorriso de canto de boca que punha à mostra parte da forte dentadura de Rodrigo Cambará.

— Vou fazer mais uma tentativa, para provar que sou seu amigo. Mas quero lhe dizer que tudo que estou fazendo pelo bem de sua alma é desinteressado. No fim de contas quem vai sofrer é vosmecê, não sou eu. Eu cumpro o meu dever. E mais uma coisa. — E neste ponto o padre assumiu o mesmo tom de voz que usava quando explicava o catecismo às crianças. — Não pense que Deus precisa muito de sua alma no céu. Há muita gente boa lá em cima e vosmecê não faz nenhum obséquio a Nosso Senhor se disser que se arrepende de seus pecados e está disposto a morrer em paz com a Igreja. Vamos, capitão. Pisque uma vez. Diga que sim. Arrependa-se enquanto é tempo.

Rodrigo abriu os olhos e ergueu lentamente a mão direita na direção do rosto do vigário. E com um súbito horror, como se de repente tivesse visto a figura de satanás, o pe. Lara leu naquela mão dessangrada a resposta do doente. O cap. Rodrigo Cambará lhe fazia uma figa! Seus dentes estavam agora todos descobertos num sorriso horrível. O padre ergueu-se e deixou o quarto precipitadamente.

12

A notícia do milagre espalhou-se pelo povoado, graças à sogra de Rosa Rodrigues, uma beata que vivia na capela a rezar e fazer promessas. Depois da visita do pe. Lara — contava ela — o cap. Cambará começara a melhorar a olhos vistos. Diziam que o moribundo se confessara e tomara a comunhão e que o Corpo de Cristo lhe fora o melhor de todos os remédios. "Já fala, já se senta na cama e já pediu um churrasco!", noticiava a velha, mascando o seu naco de fumo e agitando no ar as mãos miúdas e enrugadas.

Pouco mais dum mês depois da noite do duelo, Rodrigo deixou a cama pela primeira vez, com os membros lassos, a cabeça oca e tonta. Caminhou até a porta da casa de Juvenal e, quando olhou para a praça e avistou a figueira grande, sentiu que amava aquela árvore, aquele chão, aquele povoado. Entrecerrou os olhos, focou-os na casa de Pedro Terra e, pensando em Bibiana, concluiu que era bom, muito bom estar vivo. Quando caiu em si, as lágrimas lhe escorriam pelas barbas. Ao perceber que estava chorando, achou a coisa tão engraçada que começou a rir, primeiro baixinho, depois numa gargalhada. E, quanto mais ria, mais as lágrimas lhe vinham aos olhos. E pareceu-lhe que o riso e as lágrimas lhe aumentavam a fraqueza, e ao mesmo tempo a fraqueza lhe produzia mais riso e mais lágrimas. Teve de se apoiar na parede para não cair. Ergueu o olhar para o céu, o sol bateu-lhe em cheio na cara, como que lhe prendeu fogo nas barbas. Estar vivo, recobrar as forças, poder de novo montar a cavalo, andar à toa, livre, conversar com as pessoas, dedilhar a viola, cantar, jogar... E, principalmente, poder de novo ter mulher, comer e beber!

Rodrigo ouviu a voz de Maruca Terra:

— Capitão, é melhor vosmecê vir pra dentro e deitar um pouco pra descansar.

Cambará voltou-se para ela e sorriu:

— É melhor mesmo, dona.

Devagarinho aproximou-se de uma cadeira e sentou-se. Juvenal apareceu, vindo do fundo da cozinha, com uma cuia de mate na mão.

— Que tal um amargo?

— Vem do céu — respondeu Rodrigo. — Vem do céu.

Apanhou a cuia, seus lábios descorados e ressequidos beijaram a bomba; e ele chupou o mate com delícia, enquanto Juvenal limpava as unhas com a ponta dum punhal.

— Bonito punhal — disse Rodrigo. — É de prata?

Juvenal olhou a arma como se a visse pela primeira vez.

— Parece.

— Onde comprou?

— Foi a finada minha avó que me deu. Era do marido dela. É mui antigo.

Entregou o punhal a Rodrigo, que o rolou na palma da mão, com cuidado, passando depois os dedos pela lâmina.

— Bom aço. — Olhou os arabescos da bainha de prata e murmurou: — Nunca vi um punhal assim. Deve ser estrangeiro.

Juvenal deu de ombros e repetiu, indiferente:

— É mui antigo.

Apanhou a arma e tornou a metê-la na bainha.

Rodrigo agora sentia, de mistura com a canseira, um certo enternecimento.

— Amigo Juvenal, nunca hei de esquecer o que vosmecê fez por mim.

O outro desviou o olhar do rosto do capitão como se aquelas palavras lhe causassem um certo constrangimento.

— Ora... — fez ele, lançando um olhar para a figueira grande, através da janela.

— Se lembra quando vosmecê disse que eu podia ficar aqui trinta anos, três meses ou três dias?

Juvenal fez um sinal afirmativo com a cabeça.

— Pois veja como são as coisas... Parece que vosmecê sabia o que ia acontecer. Minha vida esteve por um fio. Bem diz o ditado: "Se Deus é grande, a vontade de viver é maior".

O dono da casa apanhou a chaleira preta de picumã que tinha a seus pés, tornou a encher a cuia e passou-a ao amigo.

— Por falar nisso — disse ele com ar casual. — Que foi que vosmecê fez pro padre Lara que ele ficou tão sentido?

Rodrigo riu, deu um chupão forte na bomba e depois narrou a "cena da extrema-unção", rematando-a com as seguintes palavras:

— E não me arrependo do que fiz.

— A intenção do pobre homem foi boa — observou Juvenal.

— E a minha também. Nunca acreditei em padre, igreja, santo e essas coisas de religião. Veja bem, amigo Juvenal, se eu morresse sem me confessar e depois descobrisse que havia outra vida... bom, eu sustentava a nota e aguentava os castigos porque não havia outro remédio. Se eu me confessasse e não morresse, ia ficar com uma vergonha danada de ter me entregado só por medo da morte. Todo mundo ia dizer que afrouxei o garrão, e isso, amigo, era o diabo...

Fez uma pausa, cansado.

— É... — murmurou Juvenal.

— Agora, se eu me confessasse, tomasse a comunhão e morresse... e se houvesse outro mundo e Deus e mais essas lorotas todas, o que é que acontecia? Acho que Ele logo ia ver que eu tinha me confessado só por conveniência e aí não me valia de nada o arrependimento.

Juvenal escutava, tomando em calma seu chimarrão. Depois de nova pausa, acariciando as barbas com as mãos trêmulas, Rodrigo concluiu:

— E se eu morresse e não encontrasse nada do outro lado, então... então nada tinha importância e tudo estava muito bem.

Juvenal Terra sacudiu a cabeça vagarosamente e depois perguntou:

— Mas vosmecê pensou em tudo isso na hora que o padre estava le pedindo que se confessasse?

O capitão soltou uma risada.

— Pra falar a verdade, não pensei. Mas fiz a figa só pra ver a cara do homem.

Atirou a cabeça para trás, porque o riso lhe aumentava a fraqueza e porque quando ele ria lhe doía o peito e a cabeça. Por um instante Juvenal não ficou sabendo ao certo se o capitão ria ou gemia ou se fazia ambas as coisas ao mesmo tempo.

Maruca atravessou a peça onde os dois amigos se encontravam e, levemente inquieto, Juvenal viu os olhos que o capitão botou nela. Não foi um relance casual, mas sim esse olhar comprido e faminto que ele vira muitas vezes nos doentes que, estando em rigorosa dieta de leite e mingau, veem passar alguém com um prato cheiroso de carne assada. E mais uma vez Juvenal desejou que o amigo já estivesse de volta a seu quarto na venda do Nicolau.

— Ah! — fez ele. — Eu ia me esquecendo, capitão. O padre Lara me disse que na noite do duelo vosmecê declarou que se morresse metade do seu dinheiro ia ficar pra igreja e a outra metade pra mim...

— É verdade.

— Mas por quê?

— Por que o quê?

— Por que me fazer seu herdeiro?

— Ora essa! Porque sou seu amigo.

Juvenal baixou os olhos. Encheu de novo a cuia, e por algum tempo ficou a tomar o mate em silêncio. Rodrigo pensava agora em suas horas de febre. Se o inferno existisse, ele devia ser como a cabeça de um homem que tem febre alta. Por mais que escarafunchasse na memória, não conseguia lembrar-se de ter visto Bibiana em seu delírio. Vira, isso sim, caras de gentes mortas, de velhos amigos e cavalos doutros tempos; andara pelos lugares de sua infância, e principalmente tornara a guerrear as guerras do passado.

Olhou para Juvenal e perguntou:

— Me diga uma coisa, amigo. Quando eu estava variando na cama, disse muita bobagem?

— Que eu ouvisse, não. Vosmecê falava, resmungava, mas não se entendia nada.

— Sabe de uma coisa engraçada? Quando variei sempre me parecia que eu andava a cavalo, em guerras. O que eu sentia era algo muito esquisito: vontade de terminar a briga, acampar, dormir, descansar. E quando pensava que ia fazer isso, lá vinha outra guerra ou então eu estava de novo na estrada, caminhando num solaço brabo, às vezes atravessando a vau um rio de fogo. E vá briga, vá briga! E só me golpeavam na cabeça, e a cabeça parecia que ia estourar de tanta dor. Alguém me dizia que logo adiante, numa canhada, tinha um olho-d'água. Minha sede era de rachar, a língua estava seca... Mas a viagem continuava e o olho-d'água não aparecia. Outras vezes...

Calou-se. O melhor mesmo era não pensar mais naquilo. Estava vivo e isso era o que realmente importava. Mudou de tom:

— Acho que posso voltar amanhã pra casa do Nicolau.

O outro disse simplesmente:

— Como vosmecê achar melhor.

— Preciso fazer a barba. Estou com a cara que nem roça abandonada.

Sem saber bem por quê — mas com uma secreta alegria ao imaginar que depois de barbeada a cara do capitão apareceria magra, pálida, sem o viço e a beleza de antigamente —, Juvenal disse:

— Roça abandonada coberta de erva daninha é triste. Mas terra nua onde a seca matou tudo é muito mais triste.

Rodrigo respirou fundo e respondeu:

— Não hai seca que dure sempre. Um dia chove e quando a terra é boa ela torna a viver.

— Isso é verdade... — concordou Juvenal, apanhando a cuia que o outro lhe entregava. — Um dia chove. Não resta a menor dúvida.

13

Quando o outono entrou, Rodrigo Cambará já se sentia tão forte como antes, e, quando lhe perguntavam: "Como vai, capitão?", ele respondia, jovial: "Pronto pra outra!".

Os Amarais voltaram para o povoado e quase toda a gente temeu novo conflito. Achavam que quando Bento e Rodrigo se defrontassem tirariam as pistolas e se alvejariam um ao outro, estivessem onde estivessem. Juvenal receava que os capangas do cel. Ricardo dessem cabo da pele do capitão numa emboscada ou então que o provocassem num jogo de osso ou numas carreiras para matá-lo, alegando depois que haviam sido agredidos. E quando um dia Juvenal disse a Rodrigo de seus temores e censurou-o por ele, ainda meio fraco, andar sozinho, o capitão deu-lhe uma palmada no ombro e exclamou:

— Qual nada, amigo! Eles não se metem mais comigo.

— É melhor andar prevenido...

— E por falar nisso, vosmecê também tem de se cuidar...

— Eu! Mas por quê?

— Porque naquela noite no terreiro do Joca Rodrigues vosmecê disse umas verdades duras pro Bento.

Juvenal olhou pensativo para a ponta das botas.

— Mas é engraçado. Ontem cruzei com ele na rua, pensei que o homem ia virar a cara, fingindo que não me via.

— E que foi que ele fez?
— Me olhou, bateu no chapéu e disse: "Buenas tardes, seu Juvenal!".
— Essa é muito boa! E vosmecê?
— Fiquei meio atrapalhado no princípio. Mas disse: "Buenas tardes". E fui andando.

Rodrigo sorria.
— Viu a cara dele?
— Muito bem, não.
— É pena. Eu só queria saber como ficou a minha marca... — Soltou um suspiro. — Foi uma lástima eu não ter acabado aquele servicinho...

Juvenal mirava o amigo sem compreender. Rodrigo esclareceu:
— Não cheguei a terminar o *R*. Ficou faltando a perninha da frente da letra. Uma lástima... Era só mais um talhinho de nada...

Juvenal sorriu seu sorriso lento e meio triste.

Por aqueles dias de fins de março o pe. Lara procurou Rodrigo e contou-lhe que o cel. Amaral o chamara para "tratar do assunto".
— Que assunto?
— O duelo.
— Ah! Que foi que a fera disse?

Estavam sentados debaixo da figueira e era por volta das cinco da tarde.
— Me pediu que falasse com vosmecê e lhe dissesse que ele não aprova o que o filho fez. Eu queria que o capitão visse o velho! Estava furioso. Chegou a dizer: "Nunca nenhum Amaral fez isso. Foi uma traição indigna de um homem de bem e de coragem".
— E que é que ele quer que eu faça? Que peça desculpas ao Bento? Ou que vá embora?

O padre sacudiu a cabeça.
— Não. Ele pede para vosmecê esquecer tudo.
— Mas uma pessoa não esquece uma coisa porque quer: esquece porque esquece.
— Não é isso. Ele quer evitar novo duelo. Chegou a dizer: "Estão mano a mano. Ele levou uma bala no peito que quase le arrebentou a alma. Mas meu filho tem na cara aquela marca que é uma vergonha pra toda a vida".

Rodrigo sacudia a cabeça com ar de quem não compreende.

— Veja como são as coisas. Nunca imaginei que o coronel fosse dizer uma coisa dessas. Isso prova que a gente nunca chega a conhecer direito as pessoas.

— Que é que vosmecê esperava que ele fizesse?

— Eu esperava que mandasse me matar... e ainda não estou certo de que não vai mandar... — O padre ensaiou um tímido protesto que não chegou a tomar forma definida. Rodrigo prosseguiu: — Ou então que dissesse ao filho: "Vá e bote um *B* na cara dele; senão vosmecê não é mais meu filho". Pelo menos era isso que eu havia de dizer ao meu filho...

Houve um silêncio. Meu filho... Aquelas palavras tinham para Rodrigo um som agradável. Meu filho: o homem que ia herdar-lhe a espada e o nome...

— Padre, mais uma vez vou lhe fazer um pedido.

— Qual é?

— Vá conversar com Pedro Terra e diga a ele que quero casar com dona Bibiana.

O pe. Lara espalmou a mão sobre o peito, como se esse gesto lhe pudesse facilitar a respiração. Aquele dia morno e pesado agravava-lhe a asma. O verão fora horrível: passara noites em claro, mais sentado que deitado na cama, sem poder dormir por causa da falta de ar.

— Vosmecê ainda tem esperança de casar com essa moça?

— Esperança? Tenho a certeza.

— Se tem, por que é que me pede?

— Porque não quero fazer nada de estabanado. Estou cansado de ser olhado como desordeiro. Vosmecê pode arranjar tudo. Vá e fale com Pedro Terra. Diga que o Juvenal já concordou em botar sociedade comigo. Tenho dinheiro, vamos abrir uma venda aqui em Santa Fé. Ele vai comprar coisas no Rio Pardo e eu tomo conta do negócio. — Fez uma pausa. Olhou para a fachada da casa de Bibiana e acrescentou, calmo: — Padre, le dou minha palavra de honra como quero mudar de vida. Estou passando dos trinta e cinco, não sou mais criança.

O vigário ergueu-se com esforço, gemendo e arquejando.

— Está bem. Vou fazer o que posso. Sou um pobre velho que gosta de ajudar os outros. — Ergueu o indicador diante do nariz de Rodrigo, bem como fazia com as crianças nas aulas de catecismo. — Mas vosmecê não merece. O que vosmecê me fez numa hora séria daquelas é dessas coisas que não têm perdão. Foi uma blasfêmia horrível. Vosmecê não merece.

— Está bem, padre. Não mereço. Mas vá falar com o homem.

O padre mudou de tom:

— Ah! Deixe que eu dê um recado que o coronel Ricardo lhe mandou: ele quer que vosmecê dê o dito por não dito, ou melhor, o feito por não feito e fique vivendo quieto a sua vida.

— É o que estou fazendo, padre.

— Também disse que vosmecê pode ficar no povoado.

Rodrigo ergueu-se, brusco, com a cara iluminada.

— Ora, essa é muito boa! Que eu posso ficar? Pois foi isso mesmo que eu disse pr'aquele velho no fim da única conversa que tivemos. Disse que ficava. E fiquei.

O padre voltou-lhe as costas, resmungando:

— Vosmecê é um homem impossível.

E se foi na direção da capela, muito encurvado, arrastando os pés na poeira do chão.

14

O pe. Lara tinha confessado Bibiana por aqueles dias, preparando-a para a comunhão pascal. Sabia agora que a moça morria de amores pelo cap. Rodrigo; e, como conhecia o temperamento dela, achava inútil tentar convencê-la de que o partido não lhe convinha. De resto, o pe. Lara não estava bem certo disso. Gostava de Rodrigo: gostava tanto que lhe perdoara todas as suas ofensas à Igreja, todas as blasfêmias, todos os atrevimentos. Conhecera outros homens assim. Eram o produto da vida que levavam, da educação que tiveram. Que se podia esperar dum menino criado no meio de soldados nos acampamentos ou de peões e índios vadios nos galpões, nos bolichos, nas canchas de carreira e de jogo de osso? A guerra tinha sido talvez sua única escola. No entanto o vigário sabia que no fundo Rodrigo Cambará era um homem de bons sentimentos. Talvez desse até um bom marido. Talvez sentasse o juízo. Fosse como fosse, agora ele sabia que Rodrigo era um homem muito mais decente que Bento Amaral. Foi por causa dessas reflexões e principalmente pela simpatia que sentia pelo capitão que o vigário decidiu falar com Pedro Terra. Foi uma noite à casa deste, depois do jantar. Ficaram primeiro a fumar e a conversar sobre as colheitas, o tempo e as notícias que tinham chegado recentemente de Porto Alegre — todas elas cheirando a revolução e intrigas políticas. E num dado momento o padre pediu a Bibiana que saísse da sala, pois tinha um "particular" a tratar com seu pai. A moça obedeceu. E quando Arminda fez menção de retirar-se também, o padre deteve-a com um gesto:

— Não. Vosmecê pode ficar. Quero que escute tudo.

Transmitiu, então, o recado de Rodrigo Cambará: o capitão queria casar com Bibiana e prometia sentar o juízo. Pedro Terra escutou o padre num silêncio em que havia ressentimento e má vontade. E quando o vigário terminou, ele disse simplesmente:

— Esse homem não é trigo limpo.

— Aí é que vosmecê se engana; o capitão foi condecorado. Vi a fé de ofício dele. É um homem de grande valor.

— Mas não é trigo limpo.

— Quem foi que lhe disse?

— Qualquer um vê logo.

O padre deu uma palmada na própria coxa, mas imediatamente arrependeu-se do seu entusiasmo. No fim de contas não era lógico que estivesse tão apaixonado pela questão a ponto de perder a calma habitual.

— Deus, que é Deus, sabe perdoar tudo, meu amigo — disse ele. — Até o mais miserável dos pecadores pode regenerar-se aos olhos d'Ele.

— Mas eu não sou Deus. Sou um homem.

— O capitão também é um homem. Concordo que ele é um pouco atrevido, um pouco esquentado, vamos dizer. Mas os Amarais são esquentados. E vosmecê também é bastante esquentado.

Pedro Terra não sorriu. Brincou com a corrente do relógio, pigarreou secamente e depois falou:

— Mas quem foi que lhe disse que a Bibiana gosta dele?

Só naquele instante é que o padre percebeu que os Terras quase sempre principiavam suas sentenças com um mas; era o sinal de que estavam sempre discordando do que os outros diziam. Era a gente mais cabeçuda, mais teimosa que ele conhecia.

— Eu sei que a Bibiana gosta desse homem. E muito.

Arrependeu-se de ter dito isso. Não podia violar o segredo do confessionário. Mas agora era tarde. A coisa lhe tinha escapado... Deus compreenderia. Deus não era cabeçudo.

— Mas quem foi que lhe disse?

Não havia outro remédio senão mostrar as cartas.

— Ela mesma me disse.

— Como é que a Bibiana lhe diz coisas que nunca me disse?

Arminda ergueu a cabeça e soltou um balido de ovelha:

— Ora, Pedro. O vigário sabe...

O pe. Lara avançou:

— Vosmecê já lhe perguntou alguma vez se ela gostava do capitão?

— Não.

— Pois aí está...

Pedro mexeu-se na cadeira. Viu uma lagartixa atravessar a parede, por trás do padre. Seguiu-a com os olhos, mas pensando em Bibiana. Por fim disse:

— Ela pode gostar um pouco dele. Mas vai acabar esquecendo.

Arminda ergueu a cabeça.

— Esquecendo? — repetiu. — A Bibiana é bem como a avó, dessas que só gostam dum homem em toda a vida. Essas nunca esquecem.

Pedro Terra suspirou, inclinou o busto para a frente, descansou os cotovelos nas coxas e apoiou a cabeça nas mãos.

— É triste a gente criar uma filha com sacrifício para entregar depois ao primeiro canalha que aparece...

— Já lhe disse que o governo não condecora canalhas! Vosmecê está sendo injusto. Um canalha vem da guerra com a guaiaca cheia de onças, de joias e de coisas roubadas. O capitão Rodrigo trouxe apenas o soldo que economizou. Não é muito. Eu vi.

Pedro olhava fixamente para o chão. O padre e Arminda trocaram um olhar significativo. Vendo que ela estava de seu lado, o vigário sorriu-lhe agradecido.

— Seja tolerante, Pedro — insistiu ele. — Receba o homem na sua casa, converse com ele, tenha paciência.

Pedro pôs-se de pé e gritou:

— Bibiana!

A moça apareceu.

— É verdade que vosmecê gosta desse tal capitão Rodrigo?

Bibiana baixou os olhos. Viu as botas embarradas do pai, mas viu principalmente a face do cap. Rodrigo. Tinha chegado a hora decisiva. Se mentisse, perderia o homem que amava. Se dissesse a verdade, poderia perdê-lo também, mas pelo menos ficaria com o consolo de não ter mentido. Aconteça o que acontecer — resolveu —, vou dizer a verdade. Sem erguer a cabeça, balbuciou:

— Gosto, papai.

— E vosmecê sabe que eu não gosto dele?

— Sei, sim senhor.

— E mesmo assim quer casar com ele?

— Eu não sei se ele quer casar comigo...

— Está visto que quer! Mas vosmecê está resolvida a arriscar a ser infeliz?

Ela ficou em silêncio por alguns segundos.

— Estou — disse, erguendo o rosto e encarando o pai.

O padre olhou para Pedro e sentiu um calafrio. O que via nos olhos, no rosto daquele homem era ciúme, um ciúme surdo, escondido, que ardia como brasa viva sob a cinza.

— Vosmecê alguma vez falou com esse homem? — tornou a perguntar Pedro Terra.

— Nunca, papai.

— E se eu lhe proibisse de falar com ele, que é que vosmecê fazia?

— Obedecia.

— E ficava triste?

— Ficava.

— Ficava com raiva de mim?

— Como é que a gente vai ficar com raiva do pai?

— Mas não acha que um dia vosmecê podia esquecer esse homem?

— Não acho, não senhor.

— Por quê?

— Porque sei o que sinto.

— Escute, minha filha. — A voz de Pedro ficou mais branda e ele chegou a dar um passo na direção da moça. O padre olhou para Arminda e viu que as mãos dela tremiam. — Vosmecê nunca se interessou por homem nenhum...

Bibiana meneou a cabeça afirmativamente.

— E vosmecê não sabe — continuou o pai — que esse homem não tem nada de seu a não ser um cavalo, um violão e uma espada?... Que esse homem não tem nenhum ofício e nenhuma serventia? Não vê que vosmecê pode ser infeliz com ele, sempre com medo de que ele possa abandonar a casa duma hora pra outra e ir pra alguma aventura ou seguir outra mulher? Não sabe?

— Sei.

— E assim mesmo quer casar com ele?

— Se ele quiser, eu quero.

O padre agora via na moça a decisão de Ana Terra: o mesmo jeito de falar, quase a mesma voz. Teve saudade da velha, com quem costumava manter longas conversas ao pé do fogão, nas noites de inverno.

Pedro Terra continuou:

— E vosmecê sabe que este casamento vai me deixar muito triste?

— Sei, sim senhor.

— E apesar disso ainda insiste em casar com ele?

A própria Bibiana sentiu que era Ana Terra quando respondeu:

— Parece que é sina um de nós ficar triste. Veja só, papai. Se eu me caso com ele, vosmecê fica triste, mas eu fico alegre. Se vosmecê me proíbe de casar, não caso, mas fico triste, e me vendo sempre triste vosmecê vai ficar triste e a mamãe também. Não é melhor só um triste em vez de três?

Os anjos falaram pela boca dessa menina! — pensou o pe. Lara. Mas olhando para o rosto do pai de Bibiana viu que ele não tinha gostado do raciocínio.

Pedro Terra apertou uma mão fechada contra a palma da outra e fez estalar as juntas dos dedos.

— Bom, padre — disse ele —, posso ser um pouco teimoso, mas não sou nenhum animal. Vou falar com aquele sujeito. Mas vá logo dizendo a ele que nunca espere a minha amizade. Quero que vosmecê, vigário, seja testemunha do que vou dizer à minha filha. — Dirigiu-se à mulher. — E vosmecê também, Arminda. — Encarou Bibiana: — Vou consentir nesse casamento pra não dizerem que sou um tirano, mas acho que minha filha vai ser infeliz. Quero lavar as mãos do que vai acontecer. Nunca insisti com ela pra casar com o Bento, apesar de saber que é o melhor partido destas redondezas. Ela não gosta do rapaz, está muito bem. Eu também não gosto muito dele. Não proíbo ela de casar com esse tal capitão. Dou o meu consentimento com tristeza, mas amanhã, quando Bibiana depois de casada vier bater na nossa porta dizendo: "Papai, vosmecê tinha razão, meu marido não presta", não quero que ninguém me culpe do que aconteceu. Está tudo bem entendido?

Por alguns momentos ninguém falou. Finalmente Bibiana fez um esforço e disse, com voz trêmula:

— Vosmecê sabe que nunca me queixo de nada nem de ninguém.

Examinando com atenção o rosto daquele homem, o pe. Lara viu que ele sofria. Mas outra pessoa que entrasse naquele momento e não soubesse do que se estava passando não perceberia nenhuma alteração na fisionomia de Pedro Terra. Era a mesma cara de sempre: tostada de sol, fechada e apenas melancólica.

15

Assim, Rodrigo Cambará se casou pelo Natal de 1829 com Bibiana Terra. O noivo envergava seu fardamento completo, em cujo dólmã luzia a medalha. Bibiana ostentava o mesmo véu e a mesma grinalda que sua mãe usara no dia de seu casamento. Pedro Terra estava vestido de preto e trazia também luto fechado no rosto e foi com má vontade e constrangimento que recebeu as felicitações que lhe deram à saída da igreja. D. Arminda chorava de mansinho e seus olhos estavam vermelhos e tristes. Ao pé da imagem de Nossa Senhora da Conceição ardia uma grande vela de cera que Bibiana mandara vir de Rio Pardo para pagar uma promessa...

Os noivos foram morar numa casa de madeira que Juvenal ajudara Rodrigo a erguer à entrada do povoado, do lado nascente. Era na peça grande da frente que ficava a venda, com suas prateleiras de pinho — onde se amontoavam as mercadorias: peças de morim e riscado, cordas, velas, pedras de isqueiros, facas, pentes, vidros de água de cheiro — e as barricas e sacos com bolachas, farinha de trigo, arroz, cebola, açúcar e sal. Numa prateleira à parte via-se uma pequena botica com purgantes, ervas medicinais, emplastros, pomadas e linimentos.

— Para começar já dá... — disse Juvenal ao padre no dia em que lhe mostrou as prateleiras da loja.

Rodrigo gozou a sua noite de núpcias como quem, depois dum longo período de abstinência, saboreia um jantar especial, com churrasco gordo e bom vinho; mas não se tratava duma refeição comum, dessas em que a gente come em mangas de camisa, à vontade, mas sim duma ceia de cerimônia... por exemplo, no Paço do Governo, no meio de figurões, numa mesa com muitos candelabros e talheres de prata, louça fina e mulheres de maneiras fidalgas — uma ceia enfim em que o conviva do campo tem de refrear o apetite, comer devagar, evitando qualquer gesto que possa ocasionar a quebra dum copo, dum prato ou da etiqueta. Porque todo o seu apetite por Bibiana, havia tanto tempo reprimido, foi um pouco contido pela sensação de estar diante duma donzela, duma moça cuja timidez e pudor eram tão grandes que quase chegaram a contagiá-lo. Mas nem por isso o vinho deixou de subir-lhe à cabeça; nem por isso ele deixou de quebrar cristais ou de revelar sua sofreguidão. Bibiana se lhe entregou numa passividade comovida, trêmula e cheia de medo. Quando se viu a sós com aquele homem, deitada com ele na mesma cama, teve por um rápido segundo quase um sentimento de pânico e a sensação perfeita de que estava praticando um ato feio e ilegal pelo qual teria de responder no dia seguinte perante os pais, o padre e o resto da população de Santa Fé.

E essa sensação de pecado, essa impressão esquisita de que Rodrigo não era seu marido e de que ela não passava duma "china de soldado" não a abandonou nunca durante toda a lua de mel, principalmente quando ela se via frente a frente com o pai. Mas isso não a tornou menos feliz. Porque, naqueles meses que se seguiram ao casamento, Bibiana viveu como que no ar, erguida na crista duma onda cálida de felicidade, que a estonteava um pouco, dando às pessoas e coisas que a cercavam um aspecto de sonho. Cuidar da casa, fazer comida para Rodrigo, lavar-lhe a roupa branca, usar as coisas de seu próprio enxoval, tomar conta dos bichos do quintal — tudo isso eram prazeres que ela gozava duma maneira miudinha, prolongada, bem como fazia no tempo de menina quando lhe davam um pedaço de rapadura e, evitando triturá-lo com os dentes, ela o deixava dissolver-se aos poucos na boca para que o doce durasse mais. E muitas vezes, quando estava lidando na cozinha ou no quintal, fazia pausas ao ouvir a voz do marido, e ficava escutando, como se alguém estivesse a tocar uma música bonita na venda. E tudo que ele dizia ela achava divino. "Quantas arrobas? Duas? Lá vai." Havia na voz de seu marido um tom amigo e simpático quando ele gritava para alguém recém-chegado: "Apeie e entre, patrício! A casa é de vosmecê!". E era mesmo. Porque Rodrigo gostava de casa cheia e sempre que podia trazia amigos para almoçar ou jantar. "Coma mais uma costela, compadre!" E sua cordialidade era tão grande que não raro chegava a ser agressiva. "Mais feijão? Mas vosmecê está me fazendo uma desfeita!" E era quase com brutalidade que botava feijão no prato do convidado.

Lembrando-se de cenas como essas, Bibiana ficava sorrindo e escutando a voz do capitão. E ouvia também o tinir dos patacões, vinténs e cruzados que ele atirava na gaveta. Rodrigo não sabia fazer nada com calma e jeito. Não punha um objeto em cima da mesa: atirava-o. Quando se despia à noite, jogava as roupas para todos os lados. Não sabia beber um copo d'água ou de vinho devagar: tomava em goles largos, fazendo muito ruído e no fim estralando os beiços. Até mesmo no sono continuava fazendo barulho: seu ressonar era pesado e muitas vezes no meio da noite ela ouvira Rodrigo falar enquanto dormia. Bibiana não cessava de comparar o marido com o pai e concluía que eram tão diferentes um do outro como geada e fogo, e mais difíceis de se misturarem do que água e azeite. Bibiana criara-se à sombra daquele homem calado e sério, bondoso mas seco de gestos e palavras. Nunca o ouvira soltar uma boa risada: quando ele sorria, era um sorriso entre amargo e triste. Sabia que o pai era bom, isso sabia; não havia ninguém no mundo melhor que ele. Era capaz de todos os sacrifícios para fazer a família feliz. Trabalhava como um mouro, era um homem honrado, não se metia na vida de ninguém. Quando falava era em voz baixa, e sempre parecia pensar muito antes de falar. Para Pedro Terra água de cheiro, brincos, espelhos e enfeites eram coisas inúteis de "gente que não tem mais o que fazer". Os seus ditados — que ele repetia sempre que havia oportunidade, como para que servissem de lição à filha — davam uma ideia de sua maneira de avaliar as pessoas e as coisas. "Mulher que muito ri não pode ser boa coisa." "Primeiro a obrigação, depois a diversão."

Uma vez, no tempo de menina, Bibiana apanhara uma sova da mãe e quando, com o rosto cheio de lágrimas, ela fora, soluçando, queixar-se ao pai, esperando que ele a tomasse nos braços e a consolasse, Pedro Terra, de mãos às costas, baixara os olhos para ela e limitara-se a dizer: "Não é nada. Pata de galinha nunca matou pinto". Quando, antes do casamento, d. Arminda expressou um dia a esperança de que Rodrigo pudesse sentar juízo, Pedro, tirando da boca uma costela de rês, cuja pelanca ele tentava arrancar com os dentes, disse com a voz que a banha fazia perder a habitual secura: "Cachorro que come ovelha uma vez come sempre, só morto se endireita". Nos dias de tristeza, quando tudo lhe parecia sair mal — uma colheita pobre, uma peste na lavoura ou no gado, uma doença na família —, Pedro Terra suspirava e dizia: "A vida é como vaca tambeira que esconde o melhor leite". Não deixava Bibiana ir a bailes senão duas ou três vezes por ano, e assim mesmo em sua companhia; durante todo o tempo das danças ficava sentado a um canto, sem tirar os olhos dela. Porque tinha medo de que começassem a falar da filha, pois "a boca do povo", dizia, "é maior que a boca da noite, e muito mais malvada".

Era por tudo isso que Bibiana não se habituava à nova situação. Tudo era bom demais para ser verdade. Tinha agora seu marido, sua casa, sua liberdade... Mas Rodrigo era tão diferente do pai, tão alegre, tão descuidado, tão barulhento, tão engraçado, que ela às vezes ficava com a impressão de que estava — ainda para usar uma frase de Pedro Terra — levando uma vida de "gente louca" e que portanto essa vida não era decente nem podia durar.

E, quando Rodrigo à noite a tomava nos braços, erguia-a no ar como se ela fosse um nenê e começava a beijar-lhe os cabelos, o pescoço, os braços, Bibiana desatava a rir, cheia de cócegas, feliz e ao mesmo tempo envergonhada, amando-o mas achando-o despudorado — e todo o tempo ficava a olhar para a porta, para a janela aberta, receando que alguém os visse naquela indecência e, acima de tudo, temendo que o pai aparecesse...

Num anoitecer em que o pe. Lara viera visitá-los após o jantar e ficara a conversar e a fumar enquanto ela tirava os pratos da mesa, Rodrigo dera uma palmada nas nádegas de Bibiana, soltando ao mesmo tempo uma risada e dizendo: "Certas coisas da vida valem mais que uma ponchada de onças!" — ela ficara muito vermelha e refugiara-se na cozinha, sem coragem de olhar para o vigário.

Para Rodrigo todas as noites eram noites de amor. Bibiana ficava um pouco assustada. Os ardores do marido a sufocavam. E havia no rosto dele algo que a fascinava e ao mesmo tempo a atemorizava. Longe dele

Bibiana fazia projetos. Ia pedir-lhe que tivesse modos diante de estranhos; que a deixasse dormir cedo; que não a acordasse no meio da noite para fazer as suas loucuras. Mas quando o via não pedia nada. Submetia-se a todos os seus desejos. Quando ele entrava numa peça, de repente tudo como que esquentava, e ficava mais claro, como se a cara do capitão fosse um sol. Quando o marido falava, ela sentia uma coisa no peito. Quando ele a tocava, ela desejava entregar-se, derreter-se, ficar mais pequena ainda do que era... Mas havia sempre de mistura com seus prazeres e êxtases um elemento secreto de inquietação — não só o pressentimento de que aquilo tudo não podia durar, como também a desconfiança de que aquele tipo de amor não era direito, não devia existir entre marido e mulher.

O pai e a mãe apareciam raramente. Quando vinham era para visitas breves em que o velho falava pouco e nunca olhava Rodrigo nos olhos, apesar de todos os esforços que este último fazia para ser agradável ao sogro. Quem os visitava mais era Juvenal, que quando não estava em viagem para o Rio Pardo ajudava o cunhado no serviço da venda.

Uma noitinha, depois do jantar, Rodrigo sentou-se num banco, botou a mulher no colo e começou a beijá-la com avidez.

— Não! — balbuciou ela. — Agora não.

— Só um pouquinho, minha prenda — disse ele, e seus lábios úmidos e frescos passearam pelo pescoço da mulher.

Estava ele de costas para a porta, através da qual Bibiana, apreensiva, via a rua. Num dado momento avistou dois vultos que se aproximavam. A noite estava clara e ela reconheceu neles o pai e a mãe. Fez um esforço para se desvencilhar do marido, mas os braços de Rodrigo a prendiam. E Bibiana, muda, afogueada, cheia de vergonha, viu o pai acercar-se da porta, parar, olhar para ela, de cenho franzido, fazer meia-volta, tomar o braço da mulher e ir-se embora sem dizer palavra.

— Por favor, Rodrigo!

Rodrigo, porém, continuava a beijá-la com fúria, por entre risos. Bibiana olhava para a porta, para a noite, e não podia esquecer a expressão de desagradável surpresa e — sim! — de vergonha que vira no rosto do pai.

16

O verão se foi, entrou o outono e Bibiana — que esperava o primeiro filho para meados da primavera — começava a ficar deformada pela gravidez. Seu ventre estava muito crescido, as feições um pouco intumescidas e o busto mais cheio. Rodrigo contemplava-a numa confusão de sentimentos. A ideia de que ia ter um filho deixava-o alvoroçado, orgulhoso, e ele contava os dias nos dedos, desejando que o tempo passasse e outubro chegasse depressa. Havia, porém, em sua alegria um elemento de impaciência. Porque Bibiana como que se desmanchava aos poucos ante seus olhos sempre gulosos. A rigidez de suas carnes dera lugar a uma flacidez descorada e ela de repente como que se fizera mais adulta, mais mulher. E ele, que já não se podia entregar aos mesmos excessos amorosos — pois além de ser obrigado a cuidados especiais com a esposa já começava a achá-la menos atraente —, ficava irritado com a situação e agora já pensava em outras mulheres.

Bibiana percebeu isso mas não disse nada. Vivia em constantes acessos de nervos, chorava às escondidas de medo ao pensar no parto. Quando comunicava esses temores à mãe, d. Arminda, para a consolar, dizia:

— Não há de ser nada, minha filha. A tesoura de tua avó está aí mesmo.

Mas isso, longe de confortar Bibiana, dava-lhe um terror frio, pois achava horrível a ideia de cortarem o cordão umbilical da criança com aquela tesoura negra e enferrujada.

Quando chegou a época de Juvenal ir ao Rio Pardo buscar novo sortimento para o inverno — pois quando entrasse junho seria praticamente impossível atravessar a serra —, Rodrigo ofereceu-se para ir fazer a viagem daquela vez.

— Mas vosmecê não conhece a estrada — observou o cunhado.

— Não se apoquente. Hei de encontrar o Rio Pardo.

Juvenal mirou o cunhado com seus olhos apertados e cheios de suspeita e disse:

— Mas tenho medo de que depois vosmecê não encontre Santa Fé, na volta...

Ele percebia tudo. Rodrigo queria um pretexto para se ausentar de casa por uns dois ou três meses, para evitar de ver a mulher naquele estado. Essa era uma das razões pelas quais insistia em fazer a viagem. A outra, mais poderosa, era o desejo de correr mundo, pois Juvenal compreendia — embora parecesse não atentar na coisa — que o cunhado já começava a aborrecer aquela vida parada ali atrás do balcão a vender pingas e a pesar farinha e feijão. Acontecia também que no Rio Pardo Rodrigo poderia procurar chinas. Em Santa Fé isso não era fácil.

— Pois está bem — disse. — Desta vez vai vosmecê.

Quando Rodrigo participou à mulher a decisão que tomara, Bibiana nada disse. Foi para o quarto, deitou-se, apertou o rosto no travesseiro e chorou. Tinha o pressentimento de que Rodrigo não voltaria mais. Podia cair num precipício na serra ou então meter-se em alguma briga no Rio Pardo e ser assassinado.

Quando se despediu do marido, abraçou-o e beijou-o longamente.

— Eu volto logo, minha prenda — disse ele. — Cuide bem de nosso filho.

Durante a ausência de Rodrigo, Bibiana de dia ajudava Juvenal na venda e ao anoitecer dirigia-se para a casa dos pais, onde pernoitava. Fiava na roca roupas para o filho, ia para a cama cedo, mas ficava muitas horas sem poder dormir, pensando no marido. Sentia falta da voz dele, do cheiro dele, da presença dele. E à medida que o tempo passava mais se fortalecia nela o pressentimento de que nunca mais tornaria a ver Rodrigo. Era essa mesma suspeita que Bibiana lia nos olhos do pai, nas raras vezes em que ele a fitava. Porque agora Pedro Terra evitava olhar para ela, como se aquele filho que ela trazia no ventre fosse o produto dum amor ilegítimo, dum "mau passo". Bibiana ficava constrangida quando alguma amiga que a visitava, ou cruzava com ela na rua, lhe pedia notícias de Rodrigo, pois sentia, no tom de voz com que as outras faziam a pergunta, que elas tinham a certeza de que o cap. Cambará não voltava mais. Uma tarde Lúcia, a filha de Chico Pinto, perguntou-lhe:

— Sabes quem chegou hoje?

— Não. Quem foi?

— O Bento Amaral e a mulher. Dizem que o casamento deles foi uma maravilha, uma beleza. As gentes mais finas de Porto Alegre foram. Até o governador!

Houve uma pausa. A outra baixou os olhos para o ventre de Bibiana.

— Então, pra quando é o "baile"?

— Ah, vai demorar ainda. Parece que é lá pra meados de outubro.

Ao se despedirem, Lúcia Pinto sussurrou:

— Esse filho podia ser do Bento, não? Ia ser melhor pra ti e pra ele. Em vez de morar na venda, tu moravas no casarão da praça.

Bibiana voltou para casa pensando naquelas palavras. E à medida que os minutos passavam ia crescendo sua indignação. Filho do Bento! Ela estava satisfeita e orgulhosa por trazer dentro de si um filho do cap. Rodrigo Cambará. Pensou no Bento e na cicatriz em forma de *P* que ele tinha na face. Avistara-o apenas duas vezes depois do duelo, e o homem dobrara esquinas, intempestivo, para não se defrontar com ela. Se a mulher de Bento ficasse grávida e olhasse muito para o rosto do marido, era bem possível que o filho nascesse com aquele *P* em algum lugar do corpinho. E assim a marca de Rodrigo passaria também para a criança.

Ao chegar a casa, ao ver as coisas do marido — o uniforme, a espada, a medalha —, sentiu que quem tinha mais forte a marca de Rodrigo era ela mesma. Tinha-a em todo o corpo, como que feita a fogo.

Deitou-se abraçada com o dólmã do capitão, e começou a chorar de mansinho. Da loja vinha a voz calma e seca de Juvenal, que conversava com os fregueses. E em pensamentos Bibiana via o marido estirado no chão, no fundo dum precipício, com a cabeça esmagada; ou então no momento em que o enterravam, no Rio Pardo, depois dum duelo. As lágrimas caíam no dólmã escuro e ela sentia no rosto o contato físico dos botões de metal. Naquele momento Bibiana percebeu que o filho lhe esperneava no ventre e por entre lágrimas começou a sorrir. Talvez fosse um homem e herdasse o gênio do pai. Imaginou Ana Terra com o bisneto no colo. Era pena que ela estivesse morta. E suas lágrimas passaram então a ser muito pela ausência de Rodrigo e um pouco pela morte da avó.

O outono se foi, começaram as chuvas e os frios de inverno, e Rodrigo não chegava. Juvenal inquietava-se porque já era tempo de o cunhado estar de volta. Fazia-se perguntas a si mesmo, imaginava coisas, mas não dizia nada à irmã para não inquietá-la.

E em certos dias em que o minuano soprava, enrolada num xale e pedalando na roca (pois agora que estava cada vez mais pesada não podia ir ajudar o irmão na venda), Bibiana pensava na avó, que costumava dizer-lhe que o destino das mulheres da família era fiar, chorar e esperar.

Junho ia em meio quando um dia Rodrigo apareceu com a carreta. Os amigos o receberam com grande alvoroço. Juvenal alegrou-se de vê-lo, mas limitou-se a apertar-lhe a mão e a dar-lhe duas palmadinhas no ombro, perguntando apenas:

— Fez boa viagem?

Rodrigo não ouviu a pergunta. Precipitou-se para casa, entrou e tomou Bibiana nos braços, cobrindo-lhe o rosto de beijos. Ela não pôde falar, engasgada. À vista do marido, cuja voz ouvira antes de ele entrar em casa, sentira uma onda de calor tomar-lhe conta do corpo. Era como se ela voltasse à vida depois de estar morta e fechada num túmulo: era como se o sol se abrisse de repente depois duma temporada longa de chuva e céu nublado. Tinha uma bola na garganta, e quando Rodrigo a beijava e dizia coisas e tornava a beijá-la e a fazer perguntas — seus lábios permaneciam imóveis e frios. E, enquanto o marido a apertava nos braços, o filho lhe esperneava nas entranhas. Essas coisas lhe deram um contentamento tão grande, tão agudo que Bibiana Terra desejou morrer naquele momento, morrer porque temia que no futuro essa felicidade acabasse.

Naquela noite Rodrigo contou à mulher, ao cunhado e a outros amigos as peripécias de sua viagem. Perdera-se na serra, lutara contra tremedais, carmatagais e peraus, mas achara finalmente o caminho. Tinha trazido a carreta cheia de mercadorias para a venda e muitos presentes para Bibiana.

E, quando no dia seguinte foram ambos visitar Pedro Terra, a primeira coisa que Rodrigo disse foi:

— O tio de vosmecê, o velho Horácio, mandou muitas lembranças...

— Agradecido — respondeu Pedro. E não disse muito mais que isso durante todo o resto da visita em que o genro contou as novidades do Rio Pardo.

Outubro passou e o filho de Bibiana não nasceu, contrariando todas as previsões. Mas à uma hora do dia 2 de novembro ela começou a ter dores muito fortes e por volta das quatro da tarde uma criança recém-nascida berrava na casa de Rodrigo Cambará.

— Logo no Dia de Finados! — lamentou-se Bibiana. Estava estendida na cama, muito pálida, de pálpebras pisadas. Rodrigo tomou nas suas a mão da mulher e respondeu:

— Mas foi no Dia de Finados que nós nos conhecemos, minha prenda.

A mulher sorriu um sorriso cansado. D. Arminda entrou no quarto e fumigou-o com alfazema. Pedro veio olhar o neto e ficou a mirá-lo em silêncio, sorrindo com os olhos.

Rodrigo exclamou:

— Mais um Cambará macho!

O sogro não respondeu. Lançou um olhar enviesado e tristonho para a mesa, em cima da qual jazia a velha tesoura de Ana Terra.

17

Na sua admiração pelo cel. Bento Gonçalves, em cujo regimento de cavalaria servira, Rodrigo pensou em dar ao filho o nome de Bento. Mas lembrou-se de Bento Amaral e resolveu chamar ao primogênito Bolívar. Bibiana não gostou do nome, mas não fez o menor reparo: o desejo do marido era para ela uma ordem. O pe. Lara batizou-o naquele mesmo novembro: Juvenal e Maruca foram os padrinhos.

Rodrigo não podia esconder seu orgulho e sua satisfação por ter um filho macho. Brincava com a criança como uma menina brinca com sua boneca e às vezes não podia deixar de dar voz à sua impaciência diante do fato irremediável de que a criança levaria anos para crescer, fazer-se homem e poder chegar à idade de botar pistola e espada na cintura e sair a burlequear pelo Continente.

— O mundo está errado! — disse ele um dia ao vigário, quando ambos conversavam na frente da venda, após o jantar. — Por que é que cavalo cresce tão depressa e gente leva tanto tempo?

O padre, que palitava os dentes com um espinho de laranjeira, encolheu os ombros e respondeu, meio vago:

— Deve ser porque cavalo vive menos.

— Também está errado. Um cavalo devia viver tanto como uma pessoa.

O pe. Lara olhou para o capitão longamente antes de falar. Fazia meses que vinha notando mudanças nele. O homem simplesmente andava desinquieto, irritadiço. Tudo indicava que aquela vida sedentária, atrás dum balcão, começava a entediá-lo. Não fora feito para aquilo. Para falar a verdade, também não fora feito para o matrimônio, ou melhor, para ter uma mulher só. E o vigário se inquietava, pois de certo modo se sentia responsável perante Pedro e Arminda Terra por aquele casamento, do qual era uma espécie de fiador. Se o signatário da letra de que ele era avalista fugisse e ele fosse chamado a pagar a dívida, que poderia fazer ou dizer? Soltou um suspiro e perguntou:

— Se vosmecê fosse o criador do mundo, como é que fazia as coisas e as pessoas?

Rodrigo apanhou um seixo, fez pontaria numa árvore e arremessou-o, errando o alvo.

— Se eu fosse dono do mundo, fazia algumas mudanças...

— Por exemplo... — pediu o padre.

— Acabava com essa história de trabalhar...

— Sim, e depois?

— Fazia os filhos virem ao mundo de outro jeito. Eu vi o que a Bibiana sofreu. É medonho.

O vigário sorria. Aquelas palavras, partidas dum egoísta, não deixavam de ter seu valor.

— E depois?

— Dividia essas grandes sesmarias de homens como o coronel Amaral.

— Dividia? Como? Pra quê?

— Dividia e dava um pedaço pra cada peão, pra cada índio, pra cada negro.

— Não vá me dizer que ia libertar os escravos...

— E por que não? Acabava com a escravatura imediatamente.

O padre ria, e o riso encatarroado que o sacudia todo depois se transformou num acesso de tosse que acabou por deixá-lo ofegante e cansado.

— Vosmecê é das arábias, capitão. Mas continue com o seu mundo... Que mais?

Dentro da casa Bolívar chorava. E Bibiana, ninando-o, cantava as cantigas de Ana Terra.

— Ah! Eu ia m'esquecendo. Pra principiar, fazia o mundo mais pequeno, pra gente poder atravessar todo ele a cavalo, sem levar muito tempo.

— E como é que vosmecê ia se arranjar, indo dum país pra outro sem conhecer outra língua senão a sua?

— Eu acabava com esse negócio de línguas diferentes...
Rodrigo fez uma pausa e ficou pensativo.
— Que mais?
— Acabava também com a velhice.
— Acabava?
— Quero dizer, ninguém envelhecia mais...
— Nem morria?
— Morrer... morria. Mas se morria era de desastre, nos duelos, nas guerras.

O vigário mordeu o palito, fez avançar a cabeça na direção do outro:
— Vosmecê não ia também acabar com as guerras?
Rodrigo por um instante pareceu confuso. Depois respondeu, lento:
— Bom... Acabar de todo, não acabava. Porque guerra é divertimento de homem. Sem uma guerrinha de vez em quando ficava tudo muito enjoado.
— Ia ser um mundo bem esquisito...
— Mas não mais esquisito que este nosso, padre.
— Se Deus fez o mundo assim foi porque achou que era o direito.
— Mas hai muita coisa torta por aí.
— Que há, há...
Rodrigo abafou um bocejo. Depois, olhando para os lados como para ver se ninguém o escutava, cochichou:
— Outra coisa, padre. No meu mundo não ia haver casamento. Um homem podia ter quantas mulheres quisesse. Dez, quinze, vinte, mil...
— E se dois homens desejassem a mesma mulher?
Rodrigo respondeu indiretamente com uma pergunta:
— Pra que é que serve a espada? Pra que é que serve a adaga? E a pistola?
O vigário procurou resumir as aspirações do amigo através do que ouvira e do que sabia dele por observação direta durante aquele ano:
— Noutras palavras, capitão, seu desejo mesmo é andar correndo mundo, sem pouso certo, sem obrigação marcada, agarrando aqui e ali uma mulher como quem apanha fruta em árvore de beira de estrada... De vez em quando uma partidinha de truco ou de solo, um joguinho de osso, umas carreiras e, para variar, uma peleia... Não é isso?
Rodrigo sacudiu a cabeça lentamente.

— Mais ou menos.

O choro do menino cessara, mas Bibiana ainda cantava baixinho. Um cão ladrou para os lados da casa dos Amarais. Por longo tempo os dois amigos ficaram em silêncio, olhando o céu estrelado. Rodrigo pensava na mulher com quem dormira todas as noites que passara no Rio Pardo: era uma mulata clara, de olhos verdes, com uma voz doce como arroz de leite e um corpo que cheirava a fruta madura quente de sol. O pe. Lara pensava na noite que iria passar... horas de aflição, sem ar e sem sono. A solidão de seu quarto era tão grande que ele às vezes ia para a capela e lá ficava orando e meditando, olhando para a imagem de Nossa Senhora, como que a buscar-lhe a companhia. Quase ao amanhecer caía no sono e dormia no chão, sobre as tábuas duras.

— Mas o mundo não é o que a gente quer — disse ele, quebrando o silêncio. — É o que é.

— Eu sei que ele é o que é. Mas a gente não deve se entregar. Deve lutar para conseguir as coisas que quer. Não há muita gente disposta a dar. Às vezes é preciso tirar à força.

— Cada qual luta a seu modo, meu filho. Cada qual luta por um ideal. Houve homens que lutaram para libertar o Brasil dos portugueses.

— Mas os galegos estão aí mesmo — retorquiu Rodrigo. — Nas tropas os oficiais portugueses mandam mais que os brasileiros. No fundo a independência não mudou nada.

— Mas deixe-me terminar o pensamento. Uns lutam de arma na mão pela sua pátria. Eu luto pela minha fé. Vosmecê não acha que eu podia encontrar uma vida melhor se tivesse ficado em São Paulo e seguido o comércio como os meus irmãos fizeram? — Rodrigo sacudiu a cabeça. — Pois é. Estou aqui porque esta gente em geral vive sem Deus. Vosmecê sabe que um padre também é chamado um pastor. É porque os paroquianos são como ovelhas. É preciso proteger os rebanhos contra os guarás, os tigres, as onças-pintadas. Mas de que é que vosmecê está rindo?

Ao luar ele via a cara do capitão, toda aberta num sorriso irônico.

— Me lembrei do coronel Amaral.

— E que é que ele tem a ver com a nossa conversa?

— Tem muito. Ele é um leão baio. E dos grandes! E vosmecê parece ser mais do lado dele que do lado das ovelhas, padre.

O pe. Lara empertigou-se sobre a banqueta.

— Não compreendo — disse. Mas compreendia perfeitamente o que o outro insinuava.

— Vosmecê sabe como ele trata os escravos... — continuou Rodrigo. — Para ele negro não merece ser considerado gente. Vosmecê sabe como ele trata os peões e os agregados. E vosmecê não ignora que ele tem mandado matar gente...

O pe. Lara estava meio sufocado. Que conversa para depois do jantar! Seu ressentimento, sua confusão lhe tiravam a clareza das ideias e ao mesmo tempo lhe roubavam o fôlego. Passaram-se alguns momentos antes que ele pudesse falar.

— Mas não há provas! — exclamou por fim.

— Provas do quê?

— De que foi o coronel Amaral que mandou matar aqueles homens.

E ao dizer essas palavras ele baixou a voz e olhou a medo para os lados. Rodrigo soltou uma risada:

— Ora, padre, todo mundo sabe!

— E depois vosmecê deve saber que muitas vezes fui falar com o coronel para interceder por um escravo, por um peão. Ele me ouve muito.

Rodrigo desabotoou a camisa e puxou-a para fora das bombachas. Sentia calor. Não havia a menor viração na noite cálida.

— Conheci muitos padres por esse mundo velho que tenho corrido. Eles nunca estão contra o governo.

— A Igreja não é revolucionária — exclamou o vigário. — A Igreja não é lugar de conspirações. Ela representa o poder espiritual, que está acima, muito acima do temporal.

— Não me venha com essas palavras difíceis, padre, que eu não entendo. Fale claro. Temporal pra mim é mau tempo. Mas, falando sério, amigo Lara, cá pra nós no maior segredo, vosmecês nunca se arriscam a ir contra o governo, não é mesmo?

O padre rosnou alguma coisa ininteligível. Depois sua voz se fez clara e ele murmurou:

— Não é a Igreja que está com o governo. É o governo que está com a Igreja.

— Ahá! — e a gargalhada de Rodrigo encheu aquele pedaço da noite que parecia envolver a casa. — Quando nós brigamos com os castelhanos, nossas bandeiras e nossas espadas eram benzidas aqui pelos padres católicos. E os padres católicos lá da Banda Oriental faziam o mesmo com as bandeiras e as espadas dos castelhanos. Como é que se explica isso?

— Isso prova que a Igreja Católica é universal. Está acima das paixões e dos interesses dos homens, que são todos iguais perante Deus.

— Iguais? Até os negros?

O padre teve um levíssimo instante de hesitação — não porque considerasse os negros animais, mas porque lhe passou pela cabeça uma dúvida quanto à maneira como o outro podia usar sua resposta.

— Até os negros, claro.

— Então por que é que vosmecê nunca protestou contra a escravatura?

O padre mexeu-se, tomado de mal-estar. Nessas ocasiões ele sentia mais agudamente que nunca aquele fogo no peito.

— Os escravos nesta província são muito mais bem tratados que em qualquer outra parte do Brasil! Eu queria que vosmecê visse como os senhores de engenho tratam os negros lá no Norte.

— Eu sei, mas vosmecê não respondeu à minha pergunta... Será que Deus não fez os homens iguais?

— Mas tem de haver categorias para haver ordem e respeito. — Usou uma palavra grande para esmagar o outro. — Tem de haver hierarquia. No fim de contas esse foi o mundo que nós encontramos ao nascer, capitão. Não podemos mudar tudo de repente.

Ia acrescentar: "Um dia essas mudanças hão de fazer-se". Mas achou melhor calar-se. As paredes tinham ouvidos. Além disso, o capitão era muito conversador. Preferiu mudar de assunto e dizer:

— Por que é que vosmecê se mostra tão do lado dos negros? Por quê? É porque vosmecê no fundo é um homem de bem. Isso é um sinal de que ainda um dia poderá vir a ser um bom católico.

— Nada disso, padre! Sou contra a escravatura só por uma coisa. É que não gosto de ver homem rebaixado por homem. Nós os Cambarás temos uma lei: nunca batemos em mulher nem em homem fraco; nem nunca usamos arma contra homem desarmado, mesmo que ele seja forte. Quando vejo um negro que baixa a cabeça quando gritam com ele, ou quando vejo um escravo surrado, o sangue me ferve. Depois que vi certos negros brigando no nosso exército contra os castelhanos... Barbaridade!... se eles não são homens, então não sei quem é...

— Bons sentimentos, capitão. Bons sentimentos — disse o vigário, levantando-se. — Vou andando para começar a minha via dolorosa.

Referia-se às andanças habituais da noite; despir-se, ir para a cama, orar, lutar com a tosse, a falta de ar; depois enfrentar a longa vigília, e os seus pensamentos e o medo — que ele não podia dominar — de morrer sozinho no quarto.

Rodrigo ergueu-se também.

— Eu vou com vosmecê até a capela.

— Não se incomode.

— Não é incômodo. A noite está bonita. — Chegou até a porta da casa e gritou: — Bibiana, vou levar o padre em casa e já volto.

A mulher, que tinha o filho no colo e balouçava-o dum lado para outro, fez com a cabeça um sinal de assentimento.

Rodrigo e o padre começaram a andar lado a lado.

O luar como que azulava tudo e as casas lançavam suas sombras negras sobre o chão da rua. Muitas janelas estavam iluminadas.

De mãos às costas, a respiração áspera, muito encurvado, o padre caminhava dum jeito que dava a Rodrigo a impressão de que era com dificuldade que mantinha erguida a grande cabeça. E os dois amigos continuaram a andar em silêncio, escoltados pelas próprias sombras. Não disseram uma única palavra antes de chegarem à praça.

Rodrigo olhou para a casa de Pedro Terra e pensou nos tempos em que Bibiana vivia lá dentro e ele não lhe conseguia falar. Comparou mentalmente a Bibiana daquela época com a de hoje. Ele a amava ainda, sim, não havia a menor dúvida. Mas seria inútil tentar esconder a verdade de que já não sentia por ela o mesmo apetite de antigamente.

Olhando para o casarão de pedra, o vigário perguntou:

— Tem visto os Amarais?

— Inda outro dia cruzei com o Bento.

O padre segurou o braço de Rodrigo.

— E ele?

O capitão deu de ombros.

— Virou a cara. Virou mas tive tempo de ver a minha marca... Foi uma pena eu não ter terminado aquele *R*. Falta só o rabinho.

— Não pense mais nisso, capitão. Vosmecê agora é pai de família.

— E ele também vai ser ainda este ano. A mulher está de barriga.

— E o velho?

— Faz séculos que não vejo.

— Anda muito entusiasmado, falam que Santa Fé vai ser vilada e ele quer ser o presidente da Câmara Municipal.

— E será — retrucou Rodrigo. — Todo mundo vai votar nele. Inclusive vosmecê, padre.

— Quem foi que lhe disse?

— Eu é que sei...

Os dentes do capitão estavam à mostra num ricto sardônico. O padre olhou para ele longamente e depois, entre confidencial e trocista, disse:

— Meu filho, aprenda uma coisa. Por que é que a Igreja tem sobrevivido através de todos estes séculos? Por quê? Passam os reis, os conquistadores, os generais, os filósofos... passa tudo. Mas a Igreja fica. Alguns pensam que é porque ela é de origem divina. — Piscou um olho e pegou na fralda da camisa do outro. — Mas eu acho, e Deus me perdoe a irreverência, que é um pouco porque nós os sacerdotes somos realistas. Realistas, está ouvindo? Vosmecê sabe o que é um realista?

— Um homem do lado do rei?

O pe. Lara sacudiu a cabeça numa ardorosa negativa.

— Não. Um realista é um homem que nunca dá murro em ponta de faca. Deixa que os outros deem... Boa noite, capitão, durma bem.

— Boa noite, vigário.

Rodrigo voltou para casa pensando na mulata de olhos verdes que lhe alegrara as noites no Rio Pardo. Quando entrou no quarto, Bibiana mudava as fraldas de Bolívar, que estava acordado em cima da cama, sacudindo os braços e as pernas. Rodrigo ajoelhou-se junto ao leito, aproximou a lamparina e olhou bem a cara do filho, buscando parecenças. Não conseguia nunca saber se os olhos da criança eram pretos ou dum azul-escuro. Do nariz pra cima é a Bibiana — pensava —, do nariz pra baixo é parecido comigo... Sorriu e começou a dizer coisas e a fazer cócegas no ventre do filho.

— Não faça cócegas no menino, Rodrigo! — pediu Bibiana, que tirava fraldas novas de dentro dum baú.

Mas Rodrigo não lhe dava ouvidos. Passeava os dedos cabeludos pelo corpo claro do bebê, apertava-lhe as pernas. Seus olhos fixaram-se no sexo da criaturinha, em torno do qual ele já inventava histórias e anedotas.

— Já viu, Bibiana? É bem Cambará, este diabo. E vai dar muito trabalho às moças. Quando ele tiver quatorze anos, quem vai procurar mulher pra ele sou eu.

Vai, fica com ela e esquece o filho — pensou Bibiana, mas não disse nada.

— E se me sair maricas, que Deus nos livre, atiro ele no primeiro perau que encontrar no caminho.

— Nem diga uma coisa dessas!

Rodrigo derretia-se para o filho, e ao falar com ele sua voz ficava macia.

— Mas este não tem perigo. Já estou vendo na cara do bichinho. Vai ser macho mesmo. Capitão Bolívar Cambará. Dará muito que falar. Quero viver bastante para ver meu filho homem-feito e poder andar um pouco com ele por este mundo velho.

E, em vez de esperar e ter medo por causa de um — pensou Bibiana —, vou esperar e ter medo por causa dos dois. Imaginou o que seria sua vida no dia em que Bolívar crescesse e saísse a correr mundo com o pai. Aproximou-se da cama e começou a mudar as fraldas do filho, mas tendo antes o cuidado de polvilhar-lhe as nádegas e as coxas com farinha de arroz.

— Isso! — dizia Rodrigo. — Bota farinha no capitão. Cuida bem dele. Daqui a uns vinte anos não há de faltar mulher que queira fazer isso. Olha só a cara desse sem-vergonha! Parece que já entende tudo.

Bibiana tornou a tomar o filho nos braços e depois deu-lhe o peito. Rodrigo ficou junto da porta da rua olhando a noite, com um desejo de montar a cavalo e sair para o campo. Santa Fé era triste. Havia ali poucas diversões. A vila mais próxima, Cruz Alta, ficava muito longe... Abriu a boca num bocejo. E de repente — quase num susto — sentiu-se mais gordo, menos enérgico, um pouco molenga. Fazia tempo que não brigava, que não se movimentava. Aquela vida de balcão, que lhe enferrujava os membros, era de matar um cristão de aborrecimento. Por que se tinha ele metido naquilo? Por quê?

Voltou para dentro de casa e fechou a porta. Uma hora depois estavam os dois deitados e, revolvendo-se na cama, Bibiana disse:

— Um filho só é ruim, Rodrigo. Fica muito mimado.

Na verdade ela pensava numa menina, em alguém que lhe pudesse fazer companhia no futuro.

— Pois podemos tratar disso agora, minha prenda — disse ele, abraçando-a.

E assoprou a lamparina.

18

Um ano depois o pe. Lara escreveu no seu registro: "Aos vinte e oito de dezembro de mil oitocentos e trinta e um nesta capela de Nossa Senhora da Conceição batizei e dei os Santos Óleos a Anita, filha legítima do Cap. Rodrigo Severo Cambará, natural da freguesia do Rio Grande, e sua mulher Bibiana, natural desta freguesia...".

Pedro Terra não compareceu ao batizado. Cada vez se afastava mais do genro, cujo comportamento ultimamente se havia deteriorado de tal maneira que era por assim dizer o assunto predileto de Santa Fé. Todos sabiam que ele não vendia um copo de cachaça sem beber outro, junto com o freguês. Vivia em rodas de solo e bisca e jogava a dinheiro; aos domingos ia para as carreiras, onde fazia apostas altas. Gastava também um dinheirão com galos de rinha. Diziam, mais, que frequentava o rancho da Paraguaia, uma velha índia que morava lá para as bandas do cemitério e que cedia a neta de dezoito anos a quem estivesse disposto a pagar por ela alguns patacões. Murmurava-se que Rodrigo, que se enrabichara pela rapariga, dava muito dinheiro à avó para ter o uso exclusivo da chinoca. Essas conversas chegavam aos ouvidos de Pedro Terra, que as ouvia sem comentário, com uma raiva surda que era dirigida muito contra Rodrigo, mas um pouco também contra quem lhe trazia as murmurações. E de mistura com essa raiva havia um sentimento de vitória, pois tudo aquilo ele tinha previsto; nunca se iludira com Rodrigo. Esperava o dia em que Bibiana lhe viesse chorosa bater à porta para se queixar do marido. Então ele lhe diria: "Eu bem que lhe avisei".

Imaginou o futuro da filha: daria cria todos os anos e, depois que ela estivesse com uma ninhada bem grande, o marido iria embora, deixando-a ao abandono com toda a prole.

Por isso não foi ao batizado de Anita nem quis vê-la. Era o seu protesto e equivalia a um rompimento definitivo com o genro.

Bibiana ficou triste, mas não disse nada. Sua tristeza entretanto não durou, porque começou a entreter-se com a filha, que era ainda mais bonita que Bolívar e tinha os olhos azuis. Seu trabalho agora dobrara, pois, além de todo o serviço da casa, tinha de cuidar de duas crianças pequenas. Bolívar, longe de diminuir-lhe o trabalho agora que já caminhava, criava-lhe mais problemas, pois andava a correr por toda a casa, saía pelo quintal a perseguir as galinhas e um dia quase virara sobre a cabeça um tacho cheio de marmelada a ferver.

Rodrigo frequentemente tomava a filha nos braços e vinha mostrá-la aos homens na venda.

— Vejam os olhos dela... São como os do pai.

— Não preferia que fosse um machinho? — perguntou-lhe alguém certa vez.

— Que era melhor, era. Mas já que veio fêmea... paciência.

— Mulher dá mais trabalho.

— Isso é verdade. Mas quando ela crescer vou andar de olho aberto. Há muito gavião por aí.

Olhou bem para o rosto da filha e imaginou como ia ser ela quando ficasse mocinha: seria talvez uma Bibiana de olhos claros.

Suas atenções, porém, iam mais para Bolívar. Fazia-o montar nos joelhos e, segurando-lhe ambas as mãos, sacudia a perna e dizia:

— Eta cavalo corcoveador! Vamos avançar, capitão Bolívar! Os castelhanos vêm vindo... Upa!

Divertia-se vendo o filho pronunciar as primeiras palavras. Fazia projetos: quando ele falasse direito, ia ensinar-lhe alguns nomes. Um homem deve saber dizer nomes feios. Dizer nomes é coisa que alivia a alma.

Mas havia momentos em que Rodrigo perdia a paciência com os filhos. Era quando eles o despertavam à noite com seu choro.

— Cala essa boca, filho duma mãe! — exclamava, revolvendo-se na cama.

Bibiana procurava ninar a criança que chorava. Às vezes as duas berravam ao mesmo tempo.

— Esgoela esse desgraçado — resmungava Rodrigo.

E uma noite, vendo que as crianças não cessavam de chorar, ergueu-se da cama, furioso, e foi dormir no quintal, debaixo de uma laranjeira.

Bibiana tomava conta dos filhos, alimentava-os, lavava-os, vestia-os e afligia-se quando eles adoeciam. Rodrigo não a ajudava em nada. Bibiana pensara em arranjar uma criada, visto como o marido se recusava a comprar uma escrava. Um dia uma menina morena, de sangue índio, apareceu à procura dum emprego. Bibiana examinou-a longamente: viu que tinha um rosto bonito, um corpo benfeito e respondeu:

— Não preciso de criada.

Sabia o que ia acontecer se a rapariga ficasse. Ajustou uma índia velha para cozinhar e ela própria continuou a lavar a roupa e a entregar-se inteiramente a Anita e Bolívar.

Horas havia em que Bibiana se ficava a fiar na velha roca, tendo a seu lado Anita num berço e Bolívar a seus pés a brincar com ossos de boi e sabugos de milho. Era nessas horas que ela pensava mais, como se o barulho da roca lhe estimulasse as ideias. Sentia que o marido mudara. Estava quase sempre com o hálito recendendo a cachaça e agora com frequência abandonava a venda para ir jogar baralho na casa do Chico Pinto. Dizia-se que as paradas eram altas e que os homens ficavam jogando, fumando e bebendo, durante horas e horas. Ultimamente Rodrigo voltava para casa muito tarde e não eram poucas as vezes em que ele só chegava ao romper do dia. Deitava-se vestido, dentro em pouco estava ressonando e só acordava por volta do meio-dia. Nessas ocasiões Juvenal tomava conta da venda; e, quando ele estava ausente em suas viagens para o Rio Pardo, era Bibiana quem tinha de ir atender a freguesia. Juvenal um dia lhe dissera:

— O Rodrigo desse jeito vai mal. Gasta demais e trabalha de menos.

Ela não fizera nenhum comentário, limitara-se a baixar a cabeça. Nas raras vezes em que ia à casa dos pais, temia que eles lhe falassem no marido, por isso ficava o tempo todo como que sobre brasas, ansiosa por ir embora. Notava, porém, que apesar de tudo o pai se mostrava mais carinhoso e menos severo que antes. Decerto tinha pena dela. Não era só o pai. Ela via no olhar e no jeito de falar das outras pessoas que em Santa Fé se comentava a vida de Rodrigo e se lamentava a sorte dela. Um dia uma de suas amigas lhe viera contar que o capitão tinha uma amásia, uma chinoca chamada Honorina, neta da Paraguaia. Ela saltara logo:

— Não acredito!

E a outra:

— É engraçado. Todo mundo sabe, todo mundo vê.

— Mas não acredito.

— O pior cego é o que não quer ver...

No entanto ela sabia que era verdade. Rodrigo dividia suas noites entre a mesa de jogo e a casa de Honorina. Bibiana chegara a ver uma noite a rapariga na última festa do Espírito Santo, toda vestida de vermelho. Tinha a pele cor de canela, tranças compridas, negras e lustrosas, e um jeito disfarçado e arisco de olhar as pessoas sem nunca encará-las direito. Era esquisito — refletia Bibiana —, mas ela não tinha propriamente ciúme do marido. Sabia que ele gostava era de mulher, que não se contentava com uma só. Mais cedo ou mais tarde havia de ficar também cansado de Honorina e passaria para outra. O melhor que ela tinha a fazer era fingir que não sabia de nada. Contanto que ele não fosse embora, que ela pudesse tê-lo a seu lado — contanto que ele continuasse a ser o seu marido, tudo estava bem. E, pensando nessas coisas, Bibiana pedalava a roca e fiava, e de quando em quando interrompia o trabalho para atender a Anita ou para ralhar com Bolívar.

Seus pensamentos, porém, voltavam sempre para o marido. Não podia esquecê-lo quando ele estava ausente. Aquilo era um vício. Havia pessoas viciadas em pitar cigarro ou cachimbo, pessoas viciadas no jogo de cartas ou na bebida. O vício dela era Rodrigo. Suportaria tudo, se sujeitaria a todos os rebaixamentos contanto que ele não fosse embora. Os habitantes de Santa Fé comentavam os defeitos de Rodrigo, mas se fossem justos não deviam esquecer suas boas qualidades. Ele era honesto, leal e tinha bom coração. Durante aqueles dois anos de casamento — refletia Bibiana — aconteceram muitas coisas que lhe revelaram o lado bom do marido. O capitão gostava de ajudar os pobres e era um mão-aberta incapaz de fazer papel feio por causa de dinheiro. Um dia passava a cavalo por uma casa quando viu um branco espancando um escravo; apeou e espancou o branco, deixando-o deitado no chão, quase sem sentidos. De outra feita viu dois homens que em pleno campo atacavam um viajante. Rodrigo não conhecia nenhum deles, mas achou que não podia passar de largo. "Dois contra um é covardia!", gritou. Saltou do cavalo, puxou a adaga e entrou na luta. Voltou para casa trazendo o desconhecido que livrara dos assaltantes. Estavam ambos com as mãos e o rosto cheios de talhos de faca. Chegaram sangrando mas sorrindo, recordando a briga e dando grandes risadas. Fecharam-se na sala da venda e tomaram juntos uma bebedeira.

"Rodrigo não pode ver briga", dizia Juvenal, "porque ele logo compra a parada." E era verdade. Se alguém maltratava um animal em sua presença, ele se enfurecia. Um dia viu um índio chicotear um burro que, emperrado, se recusava a andar. "Não surre a criatura!", gritou. O outro não lhe deu ouvidos e continuou a maltratar o animal. Rodrigo ficou vermelho, precipitou-se para o índio, tirou-lhe o chicote das mãos e começou a fustigar-lhe as costas, os braços, as pernas, até que o pobre-diabo, assustado, desandou a correr. Essas histórias — sabia Bibiana — eram contadas e espalhadas pelo povoado e pelas vizinhanças. Muitos as comentavam com simpatia e concluíam: "O capitão Cambará é um homem de bom coração". Mas outros deduziam que ele era antes de mais nada um desordeiro. Bibiana, porém, preferia resumir seus sentimentos numa frase: "É meu marido e eu gosto dele".

19

Em princípios de 1833 Santa Fé foi sacudida por uma grande novidade: a chegada de duas carroças conduzindo duas famílias de imigrantes alemães, as primeiras pessoas dessa raça a pisarem o solo daquele povoado. Os recém-chegados acamparam no centro da praça, e em breve toda a gente saía de suas casas e vinha bombear. Muitos dos santa-fezenses nunca tinham visto em toda a sua vida uma pessoa loura, e aquela coleção de caras brancas, cabeleiras ruivas e douradas, olhos azuis, esverdeados e cinzentos — era uma novidade tão grande que a manhã de fevereiro mais parecia um dia santo com quermesse, cantigas e danças na frente da igreja.

Os dois chefes de família foram imediatamente ao casario de pedra falar com Ricardo Amaral Neto. Grupos cercaram as carroças e alguns tentaram comunicar-se com as mulheres e os filhos dos colonos, mas sem o menor resultado, pois nenhum dos estrangeiros parecia falar ou entender o português.

Antes do anoitecer já havia informações positivas sobre as duas famílias. Chamava-se Erwin Kunz o alemão alto, magro, de rosto vermelho e sardento. Ia abrir uma selaria no povoado. Tinha mulher e uma filha cuja beleza deixou alguns homens que a viram um tanto perturbados. Teria uns vinte anos, no máximo, olhos dum azul vivo e limpo, e cabelos tão louros que pareciam polvilhados de ouro. "Tem cara de imagem", disse um. "É duma boniteza engraçada", comentou outro. E aqueles homens habituados às mulheres de cabelos e olhos castanhos ou negros — criaturas de feições bem marcadas — ficavam um tanto perplexos diante de Helga Kunz, tão branca e delicada, que falava outra língua e se vestia duma maneira diferente das mulheres do lugar. Uns a miravam com desconfiada insistência como que procurando decifrar-lhe o semblante. Outros a avaliavam como fêmea, olhavam-lhe os pés nus metidos em chinelos de couro, os seios pontudos. Houve um que disse: "Não troco as nossas chinas por essa alemoa".

A outra família era a de Hans Schultz, que tinha comprado perto do povoado umas terras onde pretendia plantar batatas, milho, feijão e linho. Além da mulher, Hans tinha duas filhas e cinco filhos em idades que iam de oito a dezoito anos.

— Como é que o pai sabe o nome de cada filho? — perguntou um santa-fezense a outro. — Todos têm a mesma cara.

— Decerto pela altura.

Riram-se, olhando para aquelas fisionomias vagas e sardentas, coroadas de cabelos que mais pareciam barba de milho.

Kunz e Schultz — que falavam um pouco de português — fizeram compras na venda de Rodrigo e pernoitaram com suas famílias debaixo das duas carroças, sob a grande figueira. E muito tarde, naquela noite, o pe. Lara, que não podia dormir, saiu para fora e começou a andar na frente da igreja. Aproximou-se do acampamento dos alemães, parou a pouca distância dele e ficou olhando... Era uma noite de quarto crescente, muito estrelada e fresca, e o vigário podia enxergar os colonos deitados e adormecidos debaixo das carroças, enquanto os cavalos, presos à soga, pastavam perto. Contou as pessoas: doze. Viu ainda brasas vivas nas fogueiras que eles haviam acendido para fazer o jantar. O padre ficou pensando naquelas criaturas que tinham vindo de tão longe para tentar a vida naquele fim de mundo. Pensou também em como deviam achar estranho ficarem sob o governo dum homem como o cel. Amaral, e como lhes deviam parecer rudes as caras barbudas e morenas dos homens da Província, e bárbara a língua que eles falavam.

Serão protestantes? — perguntou o padre a si mesmo. Não sabia, mas tudo indicava que sim. Esperaria o próximo domingo para ver se eles vinham ou não à igreja.

As brasas luziam. Um dos cavalos escarvou o chão. O vigário continuou seu caminho. Sabia o que algumas pessoas diziam dele. Chamavam-lhe lobisomem por causa de suas caminhadas noturnas. Não fazia mal. Assim de boca aberta, todo de preto, a vaguear sozinho pela noite, ele parecia mesmo um lobisomem. Passou pela frente da casa de Pedro Terra, lançou-lhe um olhar de soslaio e parou, porque pela primeira vez notava uma coisa curiosa: a fachada, com a porta ladeada pelas duas janelas, possuía uma fisionomia quase humana. E aquela casa, por mais absurda que parecesse, tinha um semblante parecido com o do dono: parado e triste. Será que os homens constroem suas casas à sua própria imagem? Ou então, que as casas acabam ficando parecidas com as pessoas que as habitam? E o padre continuou seu caminho, sacudindo a cabeça, resmungando e já agora pensando em Rodrigo e na vida que ele levava, de perdição e vadiagem. Sabia que seu negócio ia mal, que a venda ficava cada vez menos sortida. O pior era que ele via aproximar-se o dia em que Juvenal fatalmente teria de brigar com o cunhado.

O vigário passou pela frente do casario dos Amarais. O senhor de Santa Fé andava assanhado com os acontecimentos políticos. Falava-se em perturbação da ordem. Os ódios partidários explodiam e tudo indicava que mais cedo ou mais tarde ia haver barulho. Havia pouco chegara a Santa Fé um homem contando que corria pela Província o boato de que o cel. Bento Gonçalves, do Partido Liberal, se correspondia com o gen. Lavalleja e estavam conspirando para entregar a Província aos castelhanos. Rodrigo, que ouvira a conversa, pulou vermelho e gritou:

— É uma mentira. Conheço o coronel Bento Gonçalves!

O homem se encolhera, intimidado.

— Bom, moço, não vamos brigar. Estou contando o que ouvi.

— Mas é uma mentira, repito — retrucou Rodrigo. — E quem falar do coronel Bento briga comigo.

O vigário caminhava e seus passos soavam macios no chão. Um cão vadio atravessou a rua, à sua frente. Outro lobisomem — pensou o padre. E olhou, numa boca de rua, para aqueles campos que a imaginação das gentes da Província povoava de duendes. Àquela hora — sorriu o padre — decerto o Negrinho do Pastoreio andava a repontar sua tropilha de cavalos negros. Falava-se muito nas salamancas, principalmente na do cerro do Jarau, onde diziam haver tesouros escondidos, sob a guarda de feras e fantasmas horrendos. Contavam que muitos homens tinham conseguido entrar nessa salamanca, voltando de lá com a guaiaca cheia de onças, e muita gente garantia ter visto essas moedas que pareciam pequenos sóis. Havia outras histórias: a de são Sepé, o guerreiro índio que trazia uma lua resplandecente na testa; a da Mãe do Ouro; a da mulita e a da teiniaguá, a lagartixa que tinha um diamante por cabeça e que nada mais era do que uma malvada princesa moura que desgraçava os homens. O pe. Lara sorria. Tudo aquilo eram invenções dos homens que andavam sedentos de milagres. No entanto esqueciam os milagres que os santos tinham obrado. Desses havia testemunho; não eram produtos de nenhuma imaginação. Ele conhecia muitos homens que não tiravam o chapéu ao passar pela igreja nem tinham fé em santos e anjos; no entanto, esses mesmos homens esperavam um dia encontrar uma salamanca, acendiam velas para o Negrinho do Pastoreio e acreditavam em almas do outro mundo.

O pe. Lara viu luz na casa de Chico Pinto e aproximou-se da janela. Olhou para dentro e vislumbrou homens em torno duma mesa. Era a roda da bisca. Reconheceu a voz de Rodrigo e pensou em Bibiana com pena.

— A la fresca! — exclamava o capitão. — Estou perdido.

Outra voz:

— Uma vez é da caça, outra do caçador.

Alguém puxou um longo pigarro encatarroado. O pe. Lara voltou para casa pensando: um lobisomem vê e ouve coisas tristes quando sai a passear de noite. Vê, ouve e pensa. E concluiu: não é bom ser lobisomem, nada bom.

Chegou a casa, acendeu a lamparina, pegou o breviário e começou a ler até que o sono veio de mansinho e lhe cerrou as pálpebras. O livro caiu ao chão e a cabeça do vigário pendeu sobre o peito e em breve seu ressonar enchia o quarto.

20

Atrás do balcão Rodrigo olhava melancolicamente para o trecho de rua que a porta da venda enquadrava. Via, lá do outro lado, o quintal dos Almeidas e para além dele o campo, verde e batido de sol — uma sucessão de coxilhas onde azulavam capões. De vez em quando passavam no céu, dum azul liso e intenso, grandes nuvens brancas. Rodrigo foi até a porta e olhou para o alto. O vento trazia um cheiro bom de capim, e, aspirando-o, ele como que se embriagava. O fedor de cebola, alho e banha que havia dentro da casa nauseava-o. Meter-se naquele negócio tinha sido a maior estupidez de sua vida. Estava com a sensação de que o haviam trancafiado num calabouço. Ia resignar-se e ficar ali preso toda a vida? Imaginou-se velho e asmático como o pe. Lara, a pesar cereais, cortar fumo e vender cachaça aos copos, enquanto os vinténs e os cruzados pingavam na gaveta encardida.

Alguém entrou e disse:

— Lindo dia!

Rodrigo não respondeu. Estava de olhos erguidos, mas fechados, recebendo em cheio no rosto o sol quente e o vento fresco. Pensava em como seria bom sair pelo campo a cavalo, a todo o galope, percorrer as invernadas, tomar um banho no lajeado e depois ficar deitado ao sol...

— Capitão!

Voltou a cabeça e viu um homem junto do balcão.

— Que é que há? — perguntou, contrariado.

— Me dê um pacotinho de purgante de maná e um rolo de fumo.

Rodrigo despachou o freguês num silêncio ressentido, recebeu o dinheiro e por puro hábito disse:

— Gracias!

De súbito o outro se lembrou:

— Ah! Quero também uma réstia de cebola...

Rodrigo franziu a testa:

— Raspa! — gritou.

O homem estremeceu, ficou atarantado. Era um caboclo franzino que trabalhava numa atafona.

— Fora daqui!

— Mas capitão... — balbuciou ele.

— Qual capitão qual nada! — exclamou Rodrigo. — Vá embora, seu cachorro!

O outro fez meia-volta e saiu da venda quase a correr. Um fogo ardia no peito de Rodrigo, pondo-lhe um formigueiro em todo o corpo. Era uma sensação de angústia, um desejo de dar pontapés, quebrar cadeiras, furar sacos de farinha, esmagar os vidros de remédio e sair dizendo nomes a torto e a direito.

Quando o caboclo lhe pedira "uma réstia de cebola", ele de repente vira o horror, o absurdo da vida que levava. O cap. Rodrigo Cambará, que fora condecorado com a medalha da cruz dos militares e que possuía uma fé de ofício honrosa; o cap. Rodrigo, que brigara em várias guerras, estava agora reduzido à condição de bolicheiro: era da laia do Nicolau.

Fechou a porta da venda, saiu para o quintal e começou a encilhar o cavalo. Olhou o sol: deviam ser umas onze horas, calculou. Apertou a cincha com fúria, como se quisesse partir o animal em dois. Bibiana apareceu à porta dos fundos da casa com a filha no colo e perguntou:

— Adonde vai?

— Não sei — respondeu Rodrigo sem olhar para a mulher.

Sem chapéu nem botas, montou.

— Volta pro almoço?

— Não sei.

Bateu com os calcanhares nas ilhargas do seu zaino, que rompeu a trote pelo meio da rua, rumo ao norte. Em breve o capitão viu o campo livre, incitou o cavalo e precipitou-o a todo o galope. O vento batia-lhe na cara, revolvia-lhe os cabelos, fazia-lhe ondular a camisa como uma bandeira. "'Amo, zaino velho!", gritava ele acicatando o animal com esporas imaginárias. O zaino galopava e Rodrigo aspirava com força o ar, que cheirava a capim e distância. Quero-queros voaram, perto, guinchando. Longe, uma avestruz corria, descendo uma coxilha. O capitão começou a gritar um grito sincopado e estrídulo, bem como faziam os carreiristas no auge da corrida. Era assim que os soldados gritavam nas cargas de cavalaria. Pena eu não ter trazido a espada! — pensou ele. O pocotó das patas do cavalo, o vuu do vento, o guincho dos quero-queros — tudo isso era música para seus ouvidos. De repente Rodrigo sofrenou o animal, que estacou no alto da coxilha, resfolegando e sacudindo as crinas. Zaino velho de guerra! Rodrigo olhou em torno e avistou, longe, o lajeado do Bugre Morto e teve vontade de tomar um banho. Pôs o animal a trote e dirigiu-o para lá. Em breve começou a ouvir o murmúrio da água; e depois de atravessar um caponete chegou às margens do lajeado, cuja água faiscava como prata e corria transparente sobre as pedras cor de ardósia. Rodrigo apeou, amarrou o zaino a uma árvore, despiu-se, atirou-se no poço e começou a nadar, espadanando com muito barulho. Mergulhou, ficou algum tempo debaixo d'água, depois emergiu, bufando, com os cabelos colados na testa e caídos sobre os olhos. No seu corpo, dum branco rosado, gotas d'água fulgiam como diamantes.

Um cheiro de mel-de-pau lhe chegava às narinas junto com todos os perfumes do mato. O capitão começou a cantar cantigas que falavam em mulher. Pensou em Bolívar e desejou que ele estivesse suficientemente crescido para estar ali agora, nadando em sua companhia. Pensou em Helga, a filha do seleiro Kunz, que às vezes ia à venda fazer compras. Seria bom se pudesse ter a alemãzinha com ele no lajeado, toda nua. Devia ter um corpo branco como leite e seus cabelos lembravam-lhe um trigal maduro que ele vira num dia de sol nos campos de Cima da Serra. Seria gostoso atufar as mãos naquelas espigas douradas. Cada dia que a rapariga vinha à venda ele lhe descobria um novo encanto. No princípio fora a voz, que às vezes era grave e seca, quase como de homem, mas de repente se fazia fina como o som dum cincerro de égua madrinha; e aquela mudança — grave e agudo — lhe dava assim uma impressão de quente e frio, e isso era uma coisa que lhe bulia com o sangue... Rodrigo também não cansava de apreciar o contraste entre os cabelos cor de puxa-puxa e os olhos dum azul de açude em dia de céu limpo.

Deitou-se debaixo da pequena cascata e ficou recebendo a água fria no peito, nas coxas e nas pernas e sentindo contra as costas e as nádegas a dureza das lajes. Agora se sentia melhor. Tinha fugido da prisão. E ali sozinho e nu debaixo da cascatinha já não podia acreditar que era chefe de família, que tinha mulher e dois filhos — sim! — e um negócio... Que fosse tudo pro diabo! Fechou os olhos e ficou vendo nas pálpebras um campo vermelho onde havia manchas, flores e riscos esverdeados, azuis, dourados e pretos. Tornou a abrir os olhos e viu um rabo-de-palha frechar o ar e entrar na copa duma árvore. Acima do chuá-chuá mole e regular da água o capitão começava agora a ouvir os ruídos do mato. Era bom... Os bugios tagarelavam nas árvores e um pássaro-ferreiro batia bigorna. De quando em quando um sopro mais forte de vento fazia o arvoredo crepitar. Tico-ticos ciscavam o chão, perto da água, e por muito tempo Rodrigo ficou olhando, fascinado, para um sangue-de-boi que estava pousado num galho seco e que se destacava, muito vermelho, contra o azulão do céu. Rodrigo ficou assim deitado por longo tempo. Depois foi estender-se sobre a grama das margens, e ficou a secar ao sol. Formigas lhe subiram pelo corpo e ele se sentou para catá-las, primeiro com paciência, depois aos tapas, num frenesi. Ergueu-se de novo e entrou no mato à procura do que comer. Encontrou alguns sete-capotes e pôs-se a devorá-los ficando com uma certa aspereza na boca. Quando sentiu o corpo seco, tornou a vestir-se, montou a cavalo e dirigiu-se para o rancho da Paraguaia. Ao ouvir o ruído das patas do cavalo, Honorina saiu de casa e veio ao encontro do capitão. Estava descalça, de vestido cor de maravilha e seus cabelos reluziam, bem como o rosto redondo, de grandes olhos pretos.

— Ué — fez ela. — A esta hora? Não esperava.

— As coisas melhores são as que a gente não espera, minha prenda — respondeu Rodrigo, apeando e maneando o cavalo. Enlaçou a rapariga pela cintura e entrou com ela no rancho.

— Como vai, velha? — gritou para a Paraguaia, que fumava a um canto seu cachimbo de barro. A índia respondeu apenas com um grunhido. No seu rosto pregueado de rugas, os olhos de sáurio tinham um brilho frio e gelatinoso. Continuou imóvel onde estava, pitando em calma.

O rancho cheirava a picumã e a terra úmida.

— Já comeu? — perguntou Honorina.

— Comi uns sete-capotes no mato — respondeu Rodrigo.

— Tem paçoca e arroz.

Mas Rodrigo já não pensava mais em comida. Puxou Honorina para o quarto e disse:

— Tira toda a roupa.

Ela obedeceu.

A Paraguaia continuou a fumar, ouvindo agora os ruídos que vinham do outro lado da repartição de pano. Seu rosto, porém, não revelou a menor emoção. De vez em quando ela cuspia no chão e depois sua boca desdentada de novo se pregueava em torno da haste do cachimbo. Ao cabo de meia hora Honorina apareceu e disse baixinho à avó:

— O capitão está sesteando.

A Paraguaia não respondeu. O cachimbo se havia apagado e então ela estendeu a mão magra e apanhou um tição debaixo da trempe onde o arroz fervia numa panela de ferro.

Por volta das cinco horas Rodrigo acordou, montou a cavalo e dirigiu-se para o povoado de Santa Fé. Não tinha pressa, por isso deixou o animal seguir a passo. Sentia agora saudade da mulher e dos filhos, e uma pontinha de arrependimento começou a picá-lo. Era um egoísta, um desalmado: precisava mudar de vida, cuidar melhor da família e da venda. Mas que diabo! No fim de contas não era escravo nem português para passar a vida dentro de casa vendendo cebola e alho. Era um soldado, um oficial. Talvez fosse melhor conversar com Juvenal, desfazer-se da venda e tratar de outro negócio. Era mais divertido criar gado, fazer tropas. Ali estava! Ia ser tropeiro... Um tropeiro viaja, vê muitos povoados e vilas e gente por este mundo velho. E, pensando nisso, Rodrigo de repente sentiu vontade de comer arroz de carreteiro.

Olhou em torno. O sol declinava. Era uma tarde calma, com reflexos lilases como os de certas cachaças. Na encosta verde duma colina abria-se um grande quadrilátero de terra avermelhada, onde algumas pessoas trabalhavam. Rodrigo reconheceu a lavoura dos Schultz. Lá estava toda a família a mourejar, menos a mãe, que decerto tinha ficado em casa com o filho de colo a preparar o jantar para sua gente. Ao aproximar-se da lavoura, Rodrigo ia pensando naqueles imigrantes. Fazia meses que estavam no povoado e viviam quietamente sua vida. Trabalhavam de sol a sol, desde o filho mais moço, de oito anos, até o velho Hans. Uma madrugada, quando voltava da casa de Honorina, encontrara na estrada o "batalhão do Schultz", que ia para o trabalho; cada um deles levava a sua enxada e uma lata com comida. Iam todos de tamancos e tinham nas cabeças chapéus de palha de abas largas. Rodrigo não pôde deixar de sentir um certo mal-estar quando passou por eles. Na Província as gentes antigas afirmavam que o trabalho é coisa honrosa e necessária e muitos continentinos olhavam com desprezo para os vagamundos e os "índios vagos". Diziam que Deus ajuda quem cedo madruga. Pois Deus havia de ajudar os Schultz! — refletiu Rodrigo. Naquela madrugada, mal o sol começava a raiar, lá se iam eles para a lavoura, falando muito alto a sua língua doida e dando grandes risadas. Rodrigo buscara consolo num pensamento que lhe vinha com frequência à cabeça: "A vida vale mais que uma ponchada de onças". No fim de contas eles eram estrangeiros e tinham vindo com a tenção de encher os bolsos de dinheiro para depois voltarem para sua pátria. E, por falar em dinheiro — refletira —, ele daria de bom grado muitas moedas de ouro para ter uma noite em sua cama a filha de Erwin Kunz.

Agora pela primeira vez Rodrigo Cambará via a família de Schultz em plena atividade. Aquilo era até bonito. O sol — que ficava mais alaranjado à medida que caía — atirava sua luz sobre a lavoura, deixando mais vivo o vermelho da terra. Era bom a gente ver aquelas gentes de pele clara e roupas de muitas cores inclinadas a virar a terra, com a cara escondida pela sombra dos chapéus. Quando Rodrigo passou, Hans Schultz retesou o busto, ergueu a enxada e cumprimentou-o. O capitão fez um sinal com a mão e gritou:

— Boa tarde!

Sua voz como que subiu a encosta, e ele teve a impressão de que se sumia no ar antes de chegar aos ouvidos dos alemães. Toda a família tinha parado de trabalhar, voltava-se para Rodrigo e, tirando os chapéus, acenava-lhe. O capitão viu o sol atear incêndios naquelas cabeças. E de repente, sem ele mesmo saber por quê, sentiu um nó na garganta e uma vontade de chorar. Ficou com raiva de si mesmo e meio ressentido com aquela "alemoada do diabo". Meteu o calcanhar nas ilhargas do cavalo e se foi.

21

O ano de 1833 aproximava-se do fim. A população de Santa Fé estava alvoroçada, pois confirmara-se a notícia de que em 1834 o povoado seria elevado a vila. No entanto o assunto preferido de todas as rodas era a política. Gente bem informada, vinda de Porto Alegre e do Rio Pardo, contava histórias sombrias. Depois da abdicação de d. Pedro I, as coisas na Corte andavam confusas. Seu filho, o Príncipe d. Pedro, não podia ser coroado porque era muito criança. Ali mesmo em Santa Fé, bem como acontecia nas carreiras, as pessoas tomavam partido. Uns eram pela maioridade; outros achavam que o melhor mesmo era que uma junta de homens direitos e sábios ficasse no governo. A princípio todos esperavam que com a abdicação de Pedro I a situação mudasse, pois achavam que, sendo o Imperador português, não podia deixar de puxar brasa para o assado de Portugal. Mas haviam-se passado mais de dois anos e tudo continuava como antes. Bento Gonçalves, acusado de estar negociando com Lavalleja a anexação da Província à Banda Oriental, fora chamado à Corte para se defender dessas acusações e voltara de lá não só completamente desagravado, como também com honras e privilégios novos. Além disso trazia a seus correligionários do Partido Liberal a promessa de que um filho da Província, Fernandes Braga, seria nomeado governador.

Muitas vezes o pe. Lara ia conversar com o cel. Ricardo no casario de pedra e vinha de lá com "notícias frescas", que transmitia a alguns amigos na venda do Nicolau ou na do cap. Rodrigo. O cel. Amaral inclinava-se ora para o lado do Partido Restaurador, que desejava a volta de d. Pedro I ao trono, ora para o Partido Liberal de Bento Gonçalves, que se opunha àquele. Os restauradores tinham fundado a Sociedade Militar e Bento Gonçalves trouxera do Rio de Janeiro a promessa do governo central de impedir o funcionamento desse clube, que os liberais classificavam de retrógrado. Tudo parecia resolvido quando o comandante militar da Província, Sebastião Barreto, de novo tentou reerguer a Sociedade. Bento Amaral — que agora era representante em Santa Fé do juiz de paz de São Borja — chegara, havia pouco, de Porto Alegre e contava que a Câmara Municipal dera seu apoio aos liberais e que por sua vez o presidente da Província censurara esse pronunciamento da Câmara. Nas ruas da cidade, liberais e restauradores discutiam, diziam-se nomes, engalfinhavam-se a tapas e socos.

Os restauradores chamavam os liberais de "farroupilhas" e "pés de cabra". Os liberais retrucavam, chamando seus adversários de "retrógrados", "galegos", "caramurus". Ninguém se entendia mais. E — concluía Bento Amaral — a coisa estava muito preta. O pe. Lara andava inquieto porque tudo indicava que ia rebentar uma guerra civil.

— Que rebente! — exclamou um dia Rodrigo, exaltado. — Quanto tempo faz que esta gente não briga? As espadas e as lanças já estão enferrujadas, e os homens estão ficando molengas.

O padre, porém, lembrava-se de outras guerras e sacudia a cabeça, aflito. E um anoitecer, vendo a família de Hans Schultz passar em fila indiana, de volta do trabalho a cantar uma cantiga alemã, ele refletiu:

— Esses sim é que são felizes. Não sabem o que está se passando e, se vier a guerra, não terão nada a ver com ela, porque são estrangeiros.

Outro felizardo era Erwin Kunz — conhecido agora no povoado como "O Serigote". Passava os dias a fazer lombilhos e a bater sola, enquanto a mulher e a filha faziam doces e cucas cujo cheiro apetitoso o padre às vezes sentia ao passar pela casa do seleiro.

Helga, que todos conheciam como "a filha do Serigote", parecia ficar cada vez mais bonita e gostava de andar com lenços de cores muito vivas amarrados na cabeça.

A casa de Hans Schultz e a de Erwin Kunz ofereciam um contraste nítido quando comparadas com todas as outras do povoado. Eram graciosos chalés de madeira, muito limpos, que tinham até cortinas e vasos de flores nas janelas. Pouca gente do povoado havia entrado nelas, mas os poucos que as visitavam diziam que lá dentro até o cheiro das coisas era diferente. O que chamava também muito a atenção dos santa-fezenses eram os jardins bem cuidados que havia na frente de ambos os chalés, com seus canteiros caprichosos e suas flores. "Estrangeiro é bicho esquisito", comentavam os naturais do lugar.

No primeiro abril que os alemães passaram em Santa Fé, todos acharam muito engraçada a maneira como eles festejaram sua Páscoa. Contava-se que ao acordar as crianças encontraram debaixo de suas camas pequenos cestos em que havia ninhos de palha cheios de ovos de galinha pintados de amarelo, azul, vermelho e verde. Os filhos de Hans Schultz afirmavam que se tratava de "ovos de coelho", mas um caboclinho da casa vizinha, de pele terrosa e ventre túmido, que costumava brincar nu no seu quintal, observou, céptico, quando lhe contaram a história: "Coelho não bota ovo". Os meninos dos cabelos de fogo riram muito quando o pai lhes traduziu as palavras do pequeno brasileiro.

E na véspera do Natal de 1833 os que passaram à noite pela casa de Schultz tinham visto na sala da frente uma pequena árvore toda coberta de flocos de algodão e cheia de velas acesas. Dizia-se que Hans, com barbas postiças de algodão e metido num camisolão vermelho, trouxera presentes para os filhos dentro dum saco. Aos poucos as coisas se explicaram. Aquele era um costume alemão: o velhinho barbudo chamava-se Weihnachtsmann, e o Menino Jesus era conhecido na Alemanha como Christkind.

O pe. Lara comentou na loja de Rodrigo:

— Isso tudo pode ser muito interessante, mas eu fico com o presépio. É mais bonito e muito mais nosso.

Eu fico com a Helga — pensou Rodrigo, que sentia crescer seu desejo pela rapariga.

Na noite de ano-bom houve festa grande na praça do povoado, com quermesse, jogos e fandango. Estavam todos muito alegres porque a Assembleia Provincial tinha aprovado a resolução que elevava Santa Fé a vila e a desmembrava do município de Cachoeira. Anunciava-se que em fins de janeiro haveria ali uma eleição para escolher os membros da primeira Câmara Municipal; e que dentro de poucas semanas seria criado um serviço regular de correio entre Santa Fé, Rio Pardo e São Borja!

Razões havia, e de sobra, para aquela festa. E a praça, em cujo centro foi acesa uma grande fogueira, desde o anoitecer se encheu de gente e do som de gaitas, violas e risadas.

Quando à meia-noite o pe. Lara mandou tocar sino para anunciar que o mundo entrava no ano da graça de 1834, a gritaria começou. As pessoas se abraçavam, os homens davam tiros para o ar e o sino da capela badalava desesperadamente como se estivesse dando um alarma de incêndio. Fizeram uma roda muito grande ao redor da figueira e começaram a andar e a desandar, pulando e cantando. Depois dançaram várias danças: a meia-canha, a tirana, o tatu, a chimarrita.

De sua casa, onde tinha ficado a cuidar dos filhos, Bibiana escutava a música e as vozes. Sabia que Rodrigo estava no meio daquele povaréu, dançando e cantando. Não se apoquentava com isso. Ao contrário: queria que ele se divertisse, pois o coitado andava cada vez mais inquieto. O negócio ia mal: as despesas aumentavam, a freguesia escasseava. Juvenal queixava-se de que Rodrigo perdia muito no jogo e ameaçava deixar a sociedade. Assim — concluía Bibiana —, era melhor que Rodrigo se distraísse, pois enquanto estava dançando não jogava nem andava metido com a neta da Paraguaia...

Sentado na frente da capela o pe. Lara olhava as danças, mas pensava na guerra. O cel. Ricardo lhe dissera que "a coisa estava pra estourar, mais dia, menos dia". Levantou-se e começou a passear por entre as gentes em busca de Rodrigo. Nunca estava sossegado quando sabia que "aquele diacho" andava solto. Olhou em torno e não viu o amigo. Pouco tempo depois alguém gritou: "Que cante o capitão Rodrigo!". "Muito bem!", aplaudiram vários homens batendo palmas. "Capitão! Onde está o capitão?" Cabeças se voltaram para todos os lados, procurando. Rodrigo, porém, não aparecia. "Por onde andará esse diacho?", perguntou o vigário a si mesmo. Ninguém sabia. Decerto está na casa da china — refletiu o padre com melancolia e uma sombra de remorso. Tinha consciência de haver contribuído para a desgraça de Bibiana. Não podia compreender como um homem branco e limpo pudesse deixar-se enfeitiçar por uma rapariga que pouco faltava para ser mulata.

Naquele mesmo instante, atrás do cemitério, Rodrigo contemplava o corpo nu de Helga Kunz. Tinham-se amado fazia poucos minutos — com uma fúria que o vinho, que ambos haviam bebido na festa, contribuíra para aumentar. Agora, de pé, o capitão olhava para a rapariga, que estava estendida sobre o capim. Como era branco aquele corpo! E como os beijos da "Filha do Serigote" tinham um gosto diferente dos de Honorina!

Rodrigo sentia-se tão feliz que tinha vontade de gritar. Helga não falava. Poucas palavras sabia de português. E quando a tivera nos braços, ela lhe dissera coisas em alemão — e essa língua estranha soara dum jeito que o deixara mais excitado.

Rodrigo tornou a deitar-se junto da rapariga e fez com que ela pousasse a cabeça sobre o braço esquerdo, que ele estendera no chão. Os cabelos dela tinham um cheiro doce. Nunca em toda a sua vida ele dormira com uma mulher tão loura, tão branca e tão limpa. Ergueu os olhos e viu o escuro muro de pedra do cemitério. Os mortos não têm olhos para ver — refletiu — nem ouvidos para ouvir nem boca para falar. Os mortos não podem amar. Era bom estar vivo! De vez em quando o vento trazia de Santa Fé os rumores da festa. E as estrelas brilhavam no céu.

22

No dia seguinte, alguém que vira Rodrigo sair de Santa Fé a cavalo, rumo à coxilha do cemitério, levando a "Filha do Serigote" na garupa, passara a sensacional notícia adiante.

E por alguns dias o escândalo teve a força de empurrar para um segundo plano o assunto "política" e até os boatos de revolução. A história chegou aos ouvidos do pe. Lara, dos Amarais e finalmente de Bibiana e Pedro Terra. Para o pe. Lara a coisa não tivera propriamente o caráter de novidade, pois ele sabia que naquela noite de ano-bom o cap. Rodrigo "andava fazendo mais uma das suas": só não esperava que fosse com Helga Kunz. Encolheu os ombros num comentário silencioso e concluiu para si mesmo: ela é protestante. O confessionário faz muita falta para essa gente. Ao saber do escândalo, Bento Amaral ficou muito vermelho, a cicatriz de seu rosto tomou uma cor esbranquiçada e começou a comichar. Ficou a pensar no que ele como delegado do juiz de paz devia fazer. Se a coisa continuasse, teria de chamar Rodrigo Cambará à sua presença para repreendê-lo. Mas a ideia de se ver de novo frente a frente com aquele homem que ele detestava e de certo modo temia não lhe era nada agradável. A simples menção daquele nome lhe causava um mal-estar insuportável. "E dizem que é amigo de Bento Gonçalves!", comentou o cel. Ricardo com um tom de voz cheio de intenções secretas. Queria dizer com isso que não perdia o homem de vista e, no caso de os "pés de cabra" tentarem alguma mazorca, mandaria prender o capitão antes de ele ter tempo de dizer "água". Pedro Terra repeliu a pessoa que lhe contou a história: "Não quero saber de nada. Esse homem pra mim não existe". E no dia em que ficou sabendo da aventura amorosa do genro, deixou a olaria e saiu a passear pelo campo sem rumo certo para esquecer as mágoas. Mas Bibiana não lhe saiu um instante sequer do pensamento. Recordou o tempo em que ela era menina, tinha uma pele fresca, uma fisionomia juvenil: agora lá estava envelhecida, com um filho no colo, outro agarrado às saias e o terceiro já a crescer-lhe no ventre. Esses eram assuntos que ele tinha vergonha de comentar com as outras pessoas, até mesmo com Arminda; por isso falava sozinho, conversava com o vento que carregava suas palavras para longe.

Bibiana recebeu a notícia como um soco no peito: ficou por um instante sem respiração. Estava acostumada às patifarias do marido: sabia que quando ia ao Rio Pardo dormia com outras mulheres. Tolerava que ele sustentasse a casa da Paraguaia e passasse até algumas noites com Honorina. Mas com Helga a coisa podia ser diferente: Rodrigo era capaz de perder a cabeça. A rapariga era moça bonita. E o fato de ser estrangeira, de falar uma língua esquisita, como que lhe dava aos olhos de Bibiana um certo ar de feiticeira. Ela ouvia falar nas histórias da teiniaguá... Pois a princesa moura que o diabo fizera virar lagartixa devia ter uma cara linda e malvada como a de Helga Kunz. Fiando e cantando para Anita dormir e sentindo os movimentos do outro filho no ventre, de quando em quando, através da porta, Bibiana lançava um olhar para Bolívar, que brincava no quintal com Florêncio, o filho de Juvenal; e pensava aflita no que devia fazer para evitar que a "alemoa" lhe roubasse o marido; e, como não atinasse com nenhum remédio, chorava, e chorando continuava a fiar, a cantar e a esperar...

Depois daquela inesperada noite com Helga, Rodrigo ficara alvorotado, desejando a segunda, a terceira e muitas outras noites. E a simples perspectiva de ter uma mulher cor de leite num dia e uma mulher cor de canela noutro enchia-o duma alegria que lhe tornava cada vez mais difícil passar as horas na venda. Mas aconteceu que depois da noite de ano-bom não pudera mais nem aproximar-se de Helga. A rapariga andava arisca e quando passava pela venda nem sequer olhava para ele. O capitão inventava estratagemas para falar com ela. Foi um dia à selaria de Kunz para encomendar um serigote, e ficou conversando longamente com o alemão, na esperança de ver-lhe a filha. Mas não viu; ouviu-lhe apenas a voz, no fundo do chalé. Voltou para casa decepcionado; e sua decepção se transformou numa espécie de ressentimento, e o ressentimento em fúria quando um dia se espalhou a notícia de que chegara à vila o noivo de Helga, um alemão grande, de barbas louras e olhos claros. Morava em São Leopoldo, onde tinha uma chácara, e vinha buscá-la para a boda. Helga foi-se com ele, pois o casamento ia ser feito naquela colônia por um pastor protestante. E, quando a "Filha do Serigote" montou a cavalo e partiu em companhia do noivo para empreender uma viagem que levaria muitos dias e muitas noites, os moradores de Santa Fé trocaram perguntas e comentários atônitos ou maliciosos: "Mas ela vai sozinha com o noivo?". "Vão casar só em São Leopoldo." "Cruzes, que gente!" "Também, depois do que aconteceu com o capitão Rodrigo..." Mas Chico Pinto julgou resumir numa frase a explicação de tudo aquilo: "Estrangeiro é bicho sem-vergonha".

No dia em que Helga partiu, Rodrigo tomou uma grande bebedeira e nas semanas que se seguiram aliviou no corpo da chinoca cor de canela a saudade da alemã cor de leite. Tratou Bibiana e os filhos com impaciência irritada, cuidou mal do negócio, mergulhou fundo no jogo. Metia-se em carreiras, apostava alto e às vezes provocava brigas. Nos fundos da venda do Nicolau reuniam-se tropeiros e peões, que bebiam cachaça e jogavam osso: Rodrigo misturava-se com eles e lá ficava durante horas a jogar, a blasfemar e a contar histórias de guerras, mulheres, cavalos e apostas. E em certas ocasiões, na roda de bisca ou de voltarete, quando jogava com algum viajante desconhecido cuja cara lhe parecia suspeita, antes de começar o jogo desembainhava ostensivamente a adaga e cravava-a na mesa, ao alcance da mão, como uma advertência que já era também uma provocação.

O inverno daquele ano de 34 foi duro, de grandes geadas e chuvas longas. Numa noite de tormenta Anita, que havia semanas andava adoentada, piorou subitamente e Bibiana mandou chamar a mãe, que fez a criança tomar seus chás e aplicou-lhe seus linimentos.

— Onde está o Rodrigo? — perguntou d. Arminda.

— Saiu — respondeu a filha, sem erguer os olhos.

Balouçava nos braços a filha, que, muito pálida, tinha a boca entreaberta, as pálpebras azuladas, a respiração difícil.

— Aonde é que ele foi?

Bibiana não respondeu. Ninava a criança e cantava, baixinho, não porque achasse que isso ia ajudar a criaturinha, mas porque era a única coisa que podia fazer e um pouco também porque era hábito. Nenhum dos curandeiros da vila havia acertado com o remédio. Ninguém sabia o que a criança tinha. Fazia quase um mês que ela definhava, aos poucos — nenhum alimento lhe parava no estômago e agora Anita estava que era só pele em cima dos ossos. Tinham tentado tudo: simpatias, benzeduras, promessas...

— Aonde é que ele foi? — repetiu d. Arminda.

Bibiana continuava a sacudir a filha dum lado para outro.

— Está na casa do Chico Pinto.

— Jogando?

Bibiana sacudiu afirmativamente a cabeça. Depois, com todo o cuidado, pôs a filha no berço e cobriu-a com um pelego.

— A coitadinha está gelada... — murmurou, botando as costas da mão na testa de Anita.

D. Arminda inclinou-se sobre a neta, mirou-a longamente e depois murmurou:

— Essa criança vai morrer.

As palavras caíram como geada no peito da mãe. Por um instante se fez silêncio e as duas mulheres ficaram escutando o uivar do vento. D. Arminda acabava de dizer o que Bibiana temia, o que ela se esforçava por não reconhecer. Anita ia morrer. Era questão de dias, talvez de horas. Estava já ficando fria e roxa. De súbito, como que compreendendo o horror da situação, Bibiana precipitou-se para a filha, encostou o rosto no peito dela e procurou escutar-lhe as batidas do coração.

— O coraçãozinho dela não está batendo mais, mamãe!

D. Arminda apanhou um espelho, aproximou-o da boca entreaberta da criança e ali o deixou por alguns segundos. Trouxe-o depois para perto da lâmpada e examinou-lhe o vidro: estava embaciado.

— Está respirando — disse. — Mas é melhor chamar o Rodrigo.

— Inácia! — gritou Bibiana.

A cozinheira índia apareceu, enrolada num xale, os olhos como sempre lacrimejantes.

— Vá à casa do seu Chico Pinto e diga pro capitão Rodrigo vir ligeiro. A Anita está muito mal...

Sentado à mesa de jogo, com as cartas abertas em leque nas mãos, Rodrigo recebeu o recado e murmurou:

— Diga pra dona Bibiana que já vou.

Mal, porém, a índia desapareceu, ele a esqueceu e esqueceu também o recado, a filha, a mulher, a casa, tudo. Porque aquele jogo o apaixonava, e porque ele estava com sorte aquela noite. A parada era grande e os outros três homens que se achavam ali ao redor da mesa estavam perdendo.

— Que potra! — exclamou um deles.

Rodrigo sorria, com os olhos postos nas cartas.

De vez em quando vinha um escravo servir cachaça com mel, que o capitão tomava em longos sorvos. E, à medida que o álcool lhe ia subindo à cabeça, ele ficava ainda mais exaltado, as ideias se lhe tornavam surpreendentemente claras, tão claras como caninha destilada em alambique de barro.

Pensamentos que nada tinham a ver com o jogo às vezes lhe relampejavam na mente.

Juvenal queria desmanchar a sociedade... Pois que desmanchasse! Fosse pro diabo! Não precisava dele, não precisava de ninguém. Estava ganhando dinheiro, estava de sorte, ia levantar-se dali com a guaiaca gorda de patacões, cruzados e onças. Pagaria todas as dívidas, atiraria o dinheiro na cara dos credores. E depois... Depois viria a guerra. Era mesmo bom que viesse a guerra. Não havia nada melhor que uma guerra para resolver todos os problemas. Conhecia outros homens que quando estavam quebrados pediam a Deus uma revolução assim como sapo pede chuva. Guerra era remédio para tudo.

— Jogue, capitão.

— Lá vai e los arrebento!

Era bom o som da cachaça caindo no copo. O cheiro também era bom. Ele olhava ora para as cartas que tinha na mão, ora para as caras dos homens alumiadas pela lamparina que fumegava em cima da mesa.

O tempo passava. Como o tempo voa — refletiu Rodrigo — quando a gente está com uma mulher ou numa mesa de jogo! Na venda o tempo se arrastava como lesma.

— Vassuncê está com sorte hoje, capitão.

— Mandei me benzer por uma negra velha.

Bateram na porta. Chico Pinto foi abrir.

— Um recado pra vosmecê, capitão.

— Que venha!

Era um rapazote, filho dum vizinho.

— Capitão, dona Bibiana mandou dizer pra vosmecê ir pra casa. A sua filha está muito mal.

Aquela voz parecia vir de muito longe, e as palavras que ele dissera não tinham sentido muito claro. Sua filhinha está muito mal. Muito mal. Muito mal.

— Já vou! — disse Rodrigo. — Mais uma mão. Feche a porta, Chico. O minuano está danado.

O vento entrava, gelando a casa. Um homem tossiu. A chama da lamparina dançou. Chico Pinto fechou a porta.

— Não é bom vosmecê ir pra casa? — perguntou, meio bisonho.
— Não sou curandeiro.
— Mas é pai.
— Cuide de sua vida! Sente e dê as cartas.
Chico Pinto suspirou e em silêncio tornou a sentar-se. O jogo recomeçou. O tempo passava, Rodrigo sentia a bexiga inchada e dentro do peito uma fita de fogo que parecia subir e descer, dando-lhe um enjoo. A boca tinha um gosto amargo, e sua saliva estava grossa. Melhor era parar de beber. Mas não parava. Podia erguer-se, esvaziar a bexiga e voltar. Mas não fazia isso, estava chumbado àquela cadeira, preso ao jogo, fascinado. E, quando começou a perder, sua irritação cresceu.
— Que macaca! — exclamou ele. — Principiei tão bem...
E entraram numa nova mão. Rodrigo examinou as cartas, cuspiu para o lado, disse um palavrão. Os outros homens falavam baixo, esfregavam a sola das botas no chão. E quando ficavam em silêncio, ouvia-se o vento lá fora.
— Deve ser tarde — disse um dos jogadores.
— Só galinha é que dorme cedo — retrucou Rodrigo.
Um outro soltou uma gargalhada.
— Vosmecê ri agora porque está ganhando — observou Chico Pinto.
— Ué, amigo, também sou filho de Deus, não sou?
Duas horas depois Chico Pinto abafou um bocejo, olhou o relógio e disse:
— Quase quatro. Vamos deixar o resto pra amanhã?
— Qual nada! — vociferou Rodrigo. — Vosmecês me levaram todo o dinheiro, me deixaram pelado. Não saio daqui sem tirar pelo menos o dinheiro que trouxe.
Os outros consultaram-se com os olhos.
— Está bem — assentiu Chico Pinto.
Fizeram uma pausa, antes de continuar o jogo. Os homens levantaram-se, foram até o fundo da casa e voltaram. Um deles disse:
— Está uma noite medonha.
Noite medonha... Noite medonha... Rodrigo não se erguia. Não sabia que era que o prendia àquela cadeira. Uma teimosia, uma vontade de contrariar os outros, um medo de... Medo de quê? Escutou o vento. "Sua filhinha está muito mal..." Pois que esteja. Mulher não faz falta no

mundo. Que morra! As mulheres são falsas. Helga Kunz é uma cadela. Que morra! Não sou curandeiro. Melhor é não ver nada. Não tem mais remédio. É questão de horas. Não me adianta nada ir. Não gosto de choro. Um dia a guerra vem. Tudo se resolve. A guerra e o tempo. Remédio pra tudo.

Apanhou a garrafa que tinha a seus pés e tornou a encher o copo e a beber. Cachaça com mel e limão fazia bem ao peito.

Chico Pinto deu as cartas. Jogaram mais uma mão e Rodrigo perdeu o que não tinha. O dono da casa levantou-se e disse:

— Agora vosmecês vão ter paciência. Vai clarear o dia.

— No inverno o dia clareia às sete... — retrucou Rodrigo.

Mas ergueu-se também. Botou na cintura a pistola que mantivera no chão, junto de sua cadeira, e a adaga, que cravara na terra ao lado da pistola e ao alcance da mão. Enfiou o poncho e saiu. A ventania esbofeteou-lhe a cara e ele começou a caminhar lentamente rumo de casa. Estava tudo escuro, mas Rodrigo prosseguia levado pelo instinto. Não havia luz em nenhuma das casas do povoado. Suas botas atolavam-se na lama. O céu estava negro como carvão e as árvores sacudidas pelo vento pareciam gemer *ai, ai, ai, ai*... Nos pensamentos de Rodrigo também havia um negror de confusão. Estava cansado, irritado, mas não queria dormir.

Ao aproximar-se de sua casa, viu um risco de luz por baixo da porta. Então, de repente, compreendeu a situação. Tinham-no chamado porque a filha estava mal e ele não atendera ao chamado. Uma paixão doida pelo jogo prendera-o à mesa. Já agora ele não sabia como fora capaz de fazer aquilo. Amava a família, não era nenhum monstro, daria um braço, uma perna, um olho para salvar a vida dos filhos, da mulher, de qualquer amigo.

Parado ali na rua, recebendo na cara o vento gelado, ele pensava essas coisas e olhava para a porta de sua casa. Depois aproximou-se dela e abriu-a devagarinho. A lamparina estava à beira da cama, onde, deitada ao lado de Bolívar, que dormia, Bibiana chorava mansamente, enquanto d. Arminda lhe passava a mão pelos cabelos. Rodrigo aproximou-se do berço da filha e viu que Anita tinha a cabeça coberta por um lençol.

Ia erguer o braço para descobrir o rosto da criança quando ouviu uma voz de homem:

— Faz mais de uma hora que a menina morreu.

Só então Rodrigo percebeu que havia outra pessoa na peça. Dum canto escuro avançou um vulto. Era o pe. Lara.

— Mas não mandaram me avisar! — exclamou Rodrigo com voz rouca e sem pensar bem no que dizia.

Suas palavras morreram no ar. Ele olhou primeiro para o padre e depois para d. Arminda. De repente um soluço lhe rompeu do peito e ele caiu sobre uma cadeira, chorando desatadamente e cobrindo o rosto com as mãos.

23

Quando agosto entrou e Bibiana se preparou para ter o filho, Pedro Terra mandou dizer-lhe que se ela quisesse voltar para casa ele a receberia de bom grado. D. Arminda foi a portadora do recado. A filha respondeu:

— Diga pro papai que muito obrigada. Mas meu lugar é aqui.

Não queria abandonar Rodrigo. Nem lhe guardava rancor pelo que ele fizera. Depois daquela noite horrível em que Anita morrera, ele tinha mudado por completo. Vivia em casa, a seu lado, tratando-a com todo o carinho, e não bebia nem jogava mais. Tomava um novo interesse pela venda, e se os negócios não iam bem — concluía Bibiana — não era por culpa do coitado, mas sim da situação geral. Ninguém queria pagar as contas, pois só se falava em guerra civil.

Rodrigo não abandonou a cabeceira da cama da mulher desde o momento em que as dores do parto começaram a vir-lhe mais fortes e com menores intervalos, até o instante em que a criança nasceu. Ele temia um mau sucesso por causa da comoção que a morte de Anita causara a Bibiana. Mas tudo correu bem, e a parteira, a mulata Teresa, disse rindo:

— Pistola boa não nega fogo.

Rodrigo saiu contente e foi levar a notícia ao padre:

— É outra menina! — exclamou com os olhos velados de lágrimas.

E permitiu-se beber um copo de cachaça para festejar o acontecimento.

— Graças a Deus tudo correu bem.

O padre não dizia nada. Era com certo constrangimento que agora via Rodrigo. Depois de tudo que acontecera, não lhe era fácil encarar o homem. No entanto, ainda não lhe queria mal. O diacho tinha um encanto tão grande que tornava às outras pessoas difícil não gostar dele. Eu só queria saber — pensava às vezes o vigário — se o Pedro tem mesmo raiva do genro ou se está só fingindo.

Rodrigo saiu à rua para anunciar aos amigos o nascimento da filha. Quando lhe perguntaram como ia chamar-se, respondeu:

— Leonor.

— Nome de alguma pessoa da família de vosmecê?

— É — mentiu Rodrigo. — Da minha mãe.

Não era. Leonor era o nome de uma mulher de trinta anos que ele amara no Rio Grande quando tinha apenas dezoito. Havia sido um amor distante, pois ela nunca lhe correspondera e acabara casando com outro.

O pe. Lara batizou a menina naquele mesmo agosto frio e úmido. E de novo Bibiana se sentiu feliz ao repetir com Leonor o que já fizera com Bolívar e Anita. Isso e o trabalho da casa ajudaram-na a esquecer as lembranças tristes e um pouco o medo do futuro. E naqueles dias sombrios de agosto ouvia-se sempre no quarto dos fundos da venda o ruído regular da roca. A mulher de Juvenal levava às vezes Bolívar para sua casa, a fim de que o menino brincasse com Florêncio. Os dois primos cresciam juntos, brigavam ou brincavam um com o outro, paravam rodeios com bois imaginários, que eram ossos de galinha, sabugos de milho ou pedras, montavam em seus cavalos que eram cabos de vassoura ou faziam casas de barro no fundo do quintal.

O pe. Lara às vezes olhava para o rosto de Bolívar e tentava descobrir nele traços do pai. Encontrava-os vivos, e ficava meio apreensivo. Restava saber se o menino tinha herdado também o gênio do capitão. Quando Bolívar fazia uma travessura, o vigário ria, e a risada se emendava com a tosse, e a tosse deixava-o afogado, e assim, meio engasgado, com os olhos cheios de lágrimas, ele dizia sincopadamente:

— Este alarife... Este alarife.

Naquelas noites de inverno o pe. Lara não podia sair em suas caminhadas noturnas por causa do mau tempo. Por isso ficava em casa lendo os jornais de Porto Alegre — alguns de data muito atrasada — que amigos lhe mandavam quando havia portadores. E à luz duma vela, os óculos na ponta do nariz, ele lia, relia e treslia. A situação não podia ser pior. Atacava-se o presidente da Província, o dr. Fernandes Braga, que havia tomado posse do cargo em maio daquele ano. Dizia-se que quem realmente mandava no governo era o irmão do presidente, o juiz de direito de Porto Alegre, um homem que os liberais acusavam de retrógrado, vingativo e autoritário. Todos haviam recebido o novo presidente com simpatias e esperanças, mas ao cabo de pouco tempo ele pusera as unhas de fora: começara a perseguir os liberais e a encher as cadeias de inimigos políticos. Recentemente tinha havido tumulto nas ruas de Porto Alegre porque o povo apoiara a Constituinte do Rio, que era de caráter liberal. (A falta que nos faz um imperador! — refletiu o pe. Lara.) O juiz de direito tomara o arsenal de guerra. O povo prendera o brig. Carneiro da Fontoura, entregando-o ao juiz municipal...

O vigário de Santa Fé fez uma pausa, tirou os óculos e olhou firme para a chama da vela... A situação era negra. Quando o povo perde o sentido de disciplina e de ordem, quando começa a desrespeitar a autoridade, então é porque o desastre está iminente... O pior de tudo era que, como sempre, a conspiração se fazia na maçonaria. Mas ele não justificava o regime de terror que o presidente instituíra. Era uma imprudência, uma temeridade, uma provocação...

O vigário continuou a ler as notícias e os artigos. Estes pareciam escritos com ódio e sangue. Os jornais liberais acusavam o governo de despotismo, tirania e corrupção. Os jornais do governo chamavam os liberais de traidores, de aliados dos castelhanos, de perturbadores da ordem e conspiradores...

O sacerdote tentou orar, mas não pôde concentrar-se na oração. Doía-lhe o peito e seus pensamentos estavam confusos. Abriu o breviário, mas o que ele via em suas páginas não eram apenas orações, e sim as palavras dos jornais — caramurus, retrógrados, tirano, traidor da pátria, guerra.

Começou a preparar-se para dormir. Pensou em Santa Fé e no que podia acontecer se a revolução rebentasse na Província. Tudo indicava que o cel. Ricardo e sua gente se manteriam fiéis à legalidade. Fosse como fosse, nenhuma revolução contra o resto do país poderia triunfar. Mais cedo ou mais tarde seria abafada. Ajoelhou-se, rezou um padre-nosso e uma ave-maria com o pensamento dividido entre a oração e a lembrança do que acabara de ler nos jornais. Seria verdade que os liberais planejavam mesmo anexar a Província à Banda Oriental? Ou tudo era intriga? Com quem estava a razão?

Deitou-se, cobriu-se, apagou a vela, fechou os olhos e ficou tentando capturar o sono, como quem procura apanhar um mosquito arisco.

24

No fim do verão de 1835, quando Juvenal Terra voltou com sua carreta do Rio Pardo, amigos o cercaram, curiosos, e lhe pediram que contasse "as últimas". Juvenal não perdeu a calma. Primeiro acendeu um cigarro, tirou uma tragada, apertou os olhos e começou a falar com seu jeito lento e seco.

O que contou era alarmante, porque significava guerra. Mas o tom de sua voz, a expressão de seu rosto eram os mesmos que ele tinha quando falava de coisas triviais.

Juvenal vira quando os portugueses de Rio Pardo fizeram desfilar pelas ruas um judas que representava — diziam — os brasileiros. Tinha havido protestos, e quando um escravo ergueu a voz foi morto ali mesmo. O povo do Rio Pardo enviara uma representação ao presidente da Província, protestando contra as autoridades que ele nomeara. Como única resposta Fernandes Braga mandara prender os signatários do manifesto.

— Já se sente cheiro de pólvora no ar — disse Juvenal. — Se alguém acender um isqueiro, tudo vai pelos ares.

Ouvira falar de tumultos no Rio Grande e de ameaças de revolta em Viamão. Conversara com muitos charqueadores que estavam irritados com o governo central, que os obrigava a pagar seiscentos réis fortes de imposto por arroba de charque. Os criadores também se queixavam, indignados, de que além da taxa de dez mil-réis por légua quadrada de campo, os quintos que tinham de pagar sobre o couro "eram uma barbaridade"; e se quisessem exportá-lo, Santo Deus, nesse caso o imposto era dobrado! Não se podia fabricar nada que lá vinham os impostos mais absurdos, os dízimos, como se o Rio Grande fosse uma colônia e não uma província do Brasil. Para cúmulo, até as tropas de mulas que os criadores rio-grandenses vendiam para tropeiros de Sorocaba e outros lugares fora do Continente estavam sujeitas a um imposto que era cobrado não no lugar de origem do negócio, mas sim nos mercados onde os muares eram revendidos, de sorte que quem se ia beneficiar com a arrecadação eram outras províncias.

A todas essas São Pedro do Rio Grande vivia abandonado e esquecido pela metrópole. Não lhe davam estradas, nem pontes nem policiamento nem nada. Justiça? Há-há! Todos os processos tinham de ser julgados pela Relação do Rio de Janeiro, para onde eram remetidos e onde ficavam a criar cabelos brancos.

Parecia que a Corte achava que os continentinos só serviam para brigar com os castelhanos, porque quando rebentava a guerra começavam logo o recrutamento e as requisições. Terminada a luta, cessavam de pagar o soldo às tropas e esqueciam-se de resgatar as requisições. E pouco se lhes dava que a guerra tivesse dizimado os rebanhos e destruído as lavouras do Continente.

— E onde é que eles metem o dinheiro do imposto? — perguntou um dos homens que escutavam Juvenal.

— Metem no rabo desses caramurus do inferno! — respondeu, azedo, um velhote de chiripá seboso.

Os outros o miraram de soslaio sem dizer nada.

— Com tudo isso que pagamos — disse Chico Pinto —, não temos nem escolas pros nossos filhos.

O velhote cuspinhou para o lado e retrucou:

— Qual escola, qual nada! Não preciso dessas coisas. Não sei ler e isso nunca me fez falta. Também não tenho filho pra mandar pr'escola. Mas me dá raiva de ver que estamos sustentando o luxo da Corte. O nosso dinheirinho é pra encher a barriga desses condes, duques e barões de meia-pataca!

Naquele mesmo dia, Juvenal transmitiu ao pai essas notícias inquietadoras. Pedro Terra ficou por algum tempo calado, e quando todos pensavam que ele as tinha esquecido, ouviram-no dizer:

— Já mataram o trigo, agora vão matar o resto. São pior que gafanhoto, pior que ferrugem.

— Quem, Pedro? — perguntou-lhe a mulher.

— Esses malditos caramurus.

Num domingo, à hora da missa, o pe. Lara pregou um sermão sobre a obediência, a ordem e a paz. Sabia que o cel. Amaral, que se encontrava então em Porto Alegre, estava resolvido a manter a todo custo a ordem em Santa Fé.

Em meados de outono o cel. Ricardo voltou da capital e convocou os vereadores para uma sessão especial. Contou-lhes que a situação se agravara e que a revolução era questão de meses ou talvez de semanas. No ato da instalação da Assembleia Legislativa Provincial — ajuntou Ricardo Amaral — o presidente Fernandes Braga fizera um discurso muito franco e corajoso, acusando os liberais de estarem conspirando e preparando uma revolução com o fim de separar a Província do resto do Brasil e incorporá-la a uma federação cisplatina. Concluiu:

— O doutor Fernandes Braga me pediu que organizasse um corpo em Santa Fé e que garantisse a ordem aqui e nos arredores. — Bateu com o punho fechado na mesa. — E hei de garantir. Já estou reunindo gente. Quero que a Câmara Municipal faça uma proclamação jurando fidelidade ao governo. Alguém tem alguma coisa a dizer contra a minha proposta?

Houve um silêncio breve ao cabo do qual alguém falou:

— Eu tenho.

Cabeças voltaram-se para o lugar donde viera a voz. Era Pedro Terra. Ricardo Amaral franziu a testa, contrariado, e ordenou:

— Pois então fale.

O outro ergueu-se e disse:

— Acho que este assunto deve ser muito bem pensado.

— Não pode haver dois pesos nem duas medidas! — vociferou o presidente da Câmara. — Ou estamos com a legalidade ou estamos com os desordeiros que querem nos entregar aos castelhanos.

Sem se perturbar, Pedro continuou no mesmo tom de voz:

— O coronel Bento Gonçalves já foi acusado de traidor, foi chamado à Corte, defendeu-se e voltou com seu nome limpo e com um cargo de confiança.

O rosto do cel. Amaral estava cor de tijolo. Os outros conselheiros remexiam-se, inquietos, nas cadeiras. Um deles interveio com jeito conciliador:

— Que é, então, que o amigo Terra propõe?

— Eu proponho... — começou Pedro.

Mas Ricardo deu um novo murro na mesa: o secador e o tinteiro de louça saltaram, um pingo de tinta caiu sobre a madeira sem lustro.

— Vosmecê não propõe coisa nenhuma! Esta Câmara representa o governo. Não é uma Câmara de traidores.

Fez-se um silêncio pesado. Pedro Terra e Ricardo Amaral mediram-se com os olhos, e ficaram a mirar-se como duas cobras que trocam olhares hipnóticos, presas uma ao sortilégio da outra.

Finalmente um dos conselheiros disse:

— Estou com o presidente da Câmara.

Os outros vereadores sacudiram as cabeças e murmuraram uma aprovação meio constrangida. Sem tirar os olhos do senhor de Santa Fé, Pedro Terra declarou:

— Mas eu voto contra.

Afastou a cadeira para trás com o pé e quando se preparava para retirar-se ouviu a voz do cel. Amaral:

— Vosmecê está preso!

A notícia espalhou-se rápida pela vila. Tinha havido barulho na sessão da Câmara Municipal e Pedro Terra estava preso. Constava que antes do anoitecer iam prender também Juvenal e o cap. Rodrigo. Na venda do Nicolau alguns homens reuniram-se para comentar o fato e um deles disse: "Começou o fandango! O melhor é a gente ir pra casa limpar a garrucha e afiar a espada". E emborcou o copo de cachaça.

Ao entardecer daquele dia, Juvenal, que passara a tarde dando ordens na olaria do pai, correu à casa do cunhado. Contra seus hábitos, entrou intempestivo, sem bater à porta, e encontrou Bibiana junto ao fogão ajudando a cozinheira. Bolívar brincava debaixo da mesa e Leonor choramingava no berço.

— Vão prender o Rodrigo — disse ele, meio ofegante. — O melhor é ele tratar de...

Calou-se de súbito, pois antes de terminar a frase teve intuição do que havia acontecido. A venda estava fechada. A espada de Rodrigo não se achava mais pendurada, como de costume, na parede da varanda. E só agora é que Juvenal se lembrava de que não vira o cavalo do cunhado no quintal.

Bibiana caminhou para o irmão. Havia em seu rosto uma grande, uma profunda mas tranquila tristeza.

— O Rodrigo a esta hora está longe — murmurou ela.

Juvenal sentou-se e começou a enrolar um cigarro com dedos que tremiam um pouco. Por alguns instantes nenhum dos dois falou. Leonor choramingava ainda e debaixo da mesa Bolívar raspava com os dedos o barro ressequido das botas do tio. Bibiana sentou-se também e ficou olhando para Juvenal. Inda bem que Terra não é espalhafatoso — refletiu este. Sua gente era quieta, aceitava os fatos com uma coragem resignada e tinha vergonha de fazer cenas.

— Quando foi que ele saiu?... — perguntou em voz baixa, batendo a pedra do isqueiro para acender o cigarro.

— A noite passada.

— Pr'onde foi?

— Não disse.

— Como é que estava? Abatido?

Bibiana sorriu melancolicamente.

— Estava louco de contente. Parecia que ia pra uma festa.

— Deixou algum recado pra mim?

— Deixou. Disse pra vosmecê desculpar ele, mas que essas coisas acontecem. Deixou o dinheiro da féria na gaveta. Levou só uns patacões, uma manta de charque e um saco de farinha. Ah! E uma garrafa de caninha.

Juvenal fumava, sacudindo a cabeça vagarosamente. Parecia mentira — refletia ele —, mas de certo modo a ausência de Rodrigo lhe dava um alívio. Gostava do cunhado, não podia negar; gostava "por demais" até, mas acontecia que o comportamento do capitão fazia que ele vivesse sobressaltado. Rodrigo cometera muitas loucuras, tantas quantas um homem pode cometer. Botara dinheiro fora com jogo e mulheres, cuidara mal do negócio, fizera a Bibiana sofrer. Era estabanado, esquentado, e onde ele estivesse sempre havia perigo de barulho. Não tinha meio-termo: com ele era risada ou choro, beijo ou bofetada, festa ou velório. Ultimamente andava tão quieto, por causa daqueles boatos de revolução, que já nem pensava noutra coisa. Aquilo tinha de acontecer, mais cedo ou mais tarde. E agora que acontecera, Juvenal sentia alívio. Podia ser absurdo, mas sentia.

Olhou para a irmã e só então viu que ela chorava de mansinho e que as lágrimas lhe escorriam pelas faces. Procurou uma palavra de consolo, mas não achou nenhuma. Podia levantar-se e ir abraçá-la, mas o acanhamento lhe impediu esse gesto. Desviou os olhos dela e murmurou:

— Não há de ser nada...

Bolívar saiu de baixo da mesa cantarolando, aproximou-se do berço da irmã e ficou na ponta dos pés a espiá-la.

— Pra onde será que ele foi? — perguntou Bibiana depois de algum tempo.

— Decerto foi se reunir com a gente do coronel Bento Gonçalves. Pelo menos era isso que ele dizia que ia fazer se rebentasse a revolução...

— Mas será que vai rebentar mesmo?

— Vai. Não há dúvida. Vai.

Juvenal levantou-se e começou a caminhar lentamente de um lado para outro.

De repente Bibiana lembrou-se:

— E o papai? Como vai ser agora?

Juvenal deu de ombros.

— Dizem que vão me prender também.

— E vosmecê vai ficar na vila?

— Pr'onde é que hei de ir? — Mordeu o cigarro apagado e depois acrescentou: — Alguém tem de ficar pra olhar por vosmecês.

Bibiana pensava na mãe, em Rodrigo, nos filhos... Às vezes as desgraças chegavam ao mesmo tempo, amontoavam-se, como se uma chamasse a outra.

A filha rompeu a chorar e ela a tomou nos braços e começou a acalentá-la. Deve ser fome — concluiu. Sentou-se na cama, de costas para Juvenal, desabotoou o corpinho e deu o seio à menina.

Das panelas em cima do fogão vinha um cheiro bom de arroz com guisado de charque. Juvenal ficou olhando através da janela a estrela do pastor que cintilava no céu limpo do anoitecer.

25

O estafeta do correio que chegou do Rio Pardo em fins de outubro trouxe a grande notícia. Tinha rebentado a revolução e Bento Gonçalves da Silva, chefe supremo das forças revolucionárias, havia atacado e tomado Porto Alegre! O presidente da Província fugira para o Rio Grande e o chefe farroupilha convocara o vice-presidente para assumir o governo. Dizia-se também que toda a Província aderira ao movimento, com exceção de Pelotas, Rio Grande e São José do Norte.

E naquele novembro ventoso Bibiana passou os dias a trabalhar, a cuidar dos filhos e a esperar notícias do marido. Não sabia por onde andava Rodrigo, mas "uma coisa" lhe dizia que ele estava vivo e não muito longe dali.

Pe. Lara visitava-a com frequência e tratava-a com um carinho maior que o de costume, como que procurando atenuar assim o mal que lhe fizera, uma vez que se julgava responsável por aquele casamento.

— E o Velho? — perguntou o vigário um dia.

— Que velho? — perguntou Bibiana, deixando por um instante de pedalar na roca.

— O pai de vosmecê.

— Vai bem.

— Eu sei, mas tem aparecido?

— Tem...

— Já le falou alguma vez no Rodrigo?

— Não. Nunca.

O cigarro pendia do canto da boca do vigário. Como sempre, Bolívar olhava curioso para aquele homem tão parecido com um urubu e que, ainda por cima, havia engolido um gato que fazia ron-ron-ron em seu peito. O menino cocava o padre com olhos reluzentes de malícia e sorria. E nesse sorriso o vigário reconhecia Rodrigo.

Faziam-se longos silêncios naquelas visitas do pe. Lara — fundos silêncios em que ele pensava, desolado, nas coisas que via, ouvia ou lia. Santa Fé agitava-se em preparativos guerreiros. Ele sabia de muitos homens — entre os quais Chico Pinto e Joca Rodrigues — que tinham fugido para se reunirem às forças dos farrapos. Isso deixara o velho Amaral furioso. Pedro Terra fora solto depois de prometer, sob palavra, não se afastar do povoado a nenhum pretexto; mas os homens do cel. Ricardo não o perdiam de vista dia e noite. Juvenal fora proibido de fazer suas viagens ao Rio Pardo e vivia também muito vigiado. O recrutamento de "voluntários" — muitos dos quais eram presos a maneador — processava-se em todo o município de Santa Fé e os homens do cel. Amaral não tinham tato nem piedade. Fazia pouco, haviam matado a tiros um lavrador que recusara deixar a família e a lavoura para se incorporar às tropas legalistas. Hans Schultz, seu filho mais velho e Erwin Kunz também tinham sido recrutados. Na hora em que Hans deixou a casa, toda a família rompeu a chorar; mas no dia seguinte antes de nascer o sol foram todos como de costume trabalhar na roça, desta vez comandados por Frau Schultz, que levava o filho mais moço escanchado na cintura. E ao vê-los o vigário fizera reflexões melancólicas: o que aquela gente colhesse na próxima safra seria fatalmente requisitado pelo cel. Amaral, para alimentar seus soldados; e os Schultz nunca veriam um vintém daquelas requisições. Todos os pequenos criadores e plantadores do município andavam alarmados, pois as requisições de cavalos, gado e cereais já haviam começado.

O pe. Lara continuava a receber jornais. Pelo que lia neles e através de cartas de amigos, verificava que muitos sacerdotes católicos estavam metidos na conspiração ou tinham aderido à revolução. Não se tratava de um ou dois padres, mas de dezenas deles. E ali na casa de Bibiana, enquanto esta pedalava, o padre sacudia a cabeça repetidamente. Não compreendia como sacerdotes católicos pudessem dar seu apoio a uma revolução cujo chefe era um homem maçom, grau 33! Estava tudo errado, tudo perdido, tudo muito feio.

— E já houve combates! — disse ele depois de um longo período de silenciosa reflexão.

Bibiana, que quase havia esquecido a presença do padre, ergueu a cabeça e perguntou:

— Que foi que vosmecê disse?

— Eu disse que tem havido muitos combates.

— Ah!

— No primeiro os revolucionários foram mal! — contou o vigário com alguma relutância, temendo afligir Bibiana. — As forças de Silva Tavares e de Manoel Marques de Souza derrotaram os farrapos.

E no momento de pronunciar essas palavras uma ideia lhe veio à mente: "Um dia todas essas coisas hão de ser história", refletiu ele. Lera já vários artigos e livros sobre Napoleão Bonaparte, o grande conquistador. Era já homem maduro quando pela primeira vez ouvira falar nesse famoso general nascido na ilha de Córsega. Fora depois acompanhando, interessado, sua carreira. Agora Napoleão se tornara uma figura conhecida em todo o mundo e estava na história ao lado de César, Alexandre, Átila e tantos outros. Mas era muito possível — concluiu — que o resto do mundo nunca chegasse a ouvir falar em Bento Gonçalves. Não deixava de ser curioso a gente ver a história no momento em que ela estava sendo feita! Dali a cem anos, como iriam os historiadores descrever aquela guerra civil? O pe. Lara sabia como era custoso obter informações certas. As pessoas dificilmente contavam as coisas direito. Mentiam por vício, por prazer ou então alteravam os fatos por causa de suas paixões. Cenas da vida cotidiana que se tinham passado sob o seu nariz, ali mesmo na praça de Santa Fé, eram depois relatadas na venda do Nicolau duma maneira completamente diferente. Como era então que a gente podia ter confiança na história? Passou-lhe, então, pela mente a lembrança da importância que tinha para a Igreja Católica a tradição oral... Ora, estava claro que com a Igreja, que era divina, a coisa era diferente. Mas seria mesmo diferente? Essa dúvida era indigna dum sacerdote. Que Deus lhe perdoasse a heresia! Mas agora Bibiana lhe estava dizendo alguma coisa...

— Que foi que vosmecê disse? — perguntou, como se despertasse dum cochilo.

— Que os farrapos vão mal.

O pe. Lara sacudiu a cabeça.

— Não vão, Bibiana, não vão. No combate do arroio Grande o general Neto venceu as forças do Silva Tavares. Mais ainda: Bento Gonçalves e um tal Onofre Pires ameaçaram o Rio Grande e o presidente Braga achou melhor se mudar para o Rio. São notícias frescas.

Houve um curto silêncio. Florêncio, o filho de Juvenal, entrou, montado num cavalo imaginário, e convidou Bolívar para irem atacar o inimigo no fundo do quintal. Bolívar botou na cabeça um velho chapéu de Rodrigo, apanhou sua espada de pau, montou no seu cavalo invisível e saiu com o primo a todo o galope.

O padre acompanhou-os com o olhar. Depois tirou o isqueiro do bolso, bateu a pedra, prendeu fogo no pavio e aproximou dele a ponta do cigarro, enquanto Bibiana lhe fazia uma pergunta:

— Por onde andará ele?

— Ele quem? — perguntou o vigário, percebendo numa fração de segundo a inutilidade de sua pergunta, pois estava claro que Bibiana se referia ao marido.

— O Rodrigo — disse ela. — Será que ainda está vivo? A noite passada sonhei que ele era um soldado alemão.

— Vosmecê já viu alguma vez um soldado alemão?

— Nunca. Mas no sonho eu sabia que ele era alemão.

— Não se impressione porque o Rodrigo se arranja. Ele sempre leva a melhor em tudo.

— Vosmecê se lembra que ele costumava dizer que Cambará não morre na cama? O pai e o irmão morreram na guerra, muitos tios morreram em duelo...

— Me lembro, sim. Nenhuma pessoa foge ao seu destino...

Mal havia dito essas palavras, o padre percebeu que estava fazendo uma afirmação herética. Que diacho tenho eu hoje que estou aqui a pensar e falar como um ateu de má morte?

— Vosmecê também acredita no destino? — perguntou Bibiana.

O padre deu um chupão no cigarro, depois tirou-o da boca e respondeu:

— Destino é o nome que a gente dá à vontade de Deus.

E, depois de alguns segundos, acrescentou:

— O Rodrigo pode entrar em mil guerras e duelos, mas se Deus quiser que ele morra de velho em cima duma cama, ele morrerá.

Bibiana escutou-o, séria e pensativa, e depois disse:

— Padre, eu não quero que meu marido morra. Quero que ele volte. Mas acho que o destino dele é correr mundo. Por isso estou preparada pra tudo. Não tenho mais esperança de que ele fique sossegado no seu canto trabalhando. Decerto a vontade de Deus é que ele ande nessa vida.

— A vontade de Deus é que cada um viva de acordo com os dez mandamentos.

Bibiana encolheu os ombros, incrédula, e o pe. Lara teve a impressão de que mais uma vez estava a conversar com Ana Terra, como nos velhos tempos.

— Mas quem é que sabe o que Deus quer? — perguntou ela. — A paz ou a guerra? Deus será do lado dos farrapos ou dos legalistas? Eu às vezes fico pensando...

— Deus quer tudo pelo melhor, minha filha.

— Mas por que é que sempre acontece o pior?

O pe. Lara lutou por um instante com sua respiração e com seus pensamentos.

— Nem sempre acontece o pior.

— Pra nós sempre tem acontecido, padre — replicou ela com firmeza.

Ele sabia que aquilo era verdade, mas censurou-a:

— Uma católica verdadeira não diz essas coisas.

— Deus me perdoe, mas eu digo o que sinto.

Pouco tempo depois o pe. Lara ergueu-se, gemendo, foi até o berço onde Leonor dormia, inclinou-se um pouco sobre a criança, sorriu de leve e disse:

— Bom, vou andando. Até outro dia!

— Até outro dia.

E muitos outros dias vieram. Entrou o ano de 1836 e a Santa Fé chegavam as mais desencontradas notícias da guerra.

Pedro Terra uma tarde visitou a filha em companhia da mulher, pôs Bolívar sobre os joelhos e, examinando-lhe o rosto com atenção, descobriu nele traços do pai, principalmente o jeito arrogante de olhar. Sacudiu a cabeça, penalizado, mas não disse nada. Arminda passeava cantarolando dum lado para outro com a neta nos braços.

— Minha filha — disse Pedro, olhando para Bibiana —, por que vosmecê não volta pra sua casa?

Ela ergueu os olhos e fitou-os no pai, que baixou os seus para a ponta das botas.

— Não, papai. Esta é a minha casa. Quero que o Rodrigo me encontre aqui quando voltar.

Pedro Terra ficou meio desconcertado ao ouvir o nome do genro, mas limitou-se a transformar seu embaraço num pigarro prolongado.

— O padre Lara me disse que há esperanças de paz — acrescentou Bibiana.

O padre lhe contara, havia poucos dias, que Fernandes Braga tinha chegado ao Rio, onde dera conta dos acontecimentos da Província ao pe. Feijó, regente do Império, e que este lançara uma proclamação chamando à ordem os revolucionários. Tinha mandado um novo presidente para a Província, e Bento Gonçalves e seus generais estavam dispostos a dar posse ao novo governador e depor as armas.

Pedro Terra sacudiu a cabeça.

— Não, minha filha. Não vai haver paz. Nem pode haver paz com esses caramurus. Os homens lá em Porto Alegre não se entenderam. O governo imperial deu anistia aos revolucionários, mas eles não aceitaram. — Fez uma pausa curta e depois acrescentou: — São as últimas notícias. E deve ser verdade, porque o Ricardo Amaral anda furioso.

Bibiana olhava para o pai, com a boca entreaberta, o peito a arfar. Suas esperanças caíam por terra. Tão cedo não veria Rodrigo.

— E agora que vai ser de nós? — perguntou. — Essa guerra louca... essa...

Calou-se, engasgada. Pedro Terra olhava para a filha num triste silêncio. Andava amargurado, tinha a impressão de que dentro dele algo começava a apodrecer. "Às vezes parece até que tenho caruncho dentro do peito..." Agora contemplava a filha, via-a aflita, queria fazer ou dizer alguma coisa que lhe desse esperança e conforto. Mas continuou onde estava, imóvel e calado. Por fim, a única coisa que encontrou para dizer foi:

— Vai ser uma guerra braba.

26

Foi em fins de abril, num calmo princípio de tarde, que a notícia explodiu na vila como um petardo. Forças revolucionárias aproximavam-se de Santa Fé para atacá-la. Haviam invadido o município no dia anterior e, a menos que fossem repelidas pelos legalistas, entrariam na vila ao anoitecer. Dizia-se que era um contingente de cavalaria vindo do Rio Pardo especialmente para "ajustar contas com o cel. Ricardo e sua gente". O sino da capela tocou alarma e por alguns instantes deu a Santa Fé uma impressão de fim de mundo. Mulheres, crianças e velhos saíram de suas casas carregando cobertores, travesseiros, sacos e baús. Eram os moradores da parte leste da vila, de onde se supunha viria o ataque: iam refugiar-se nas casas que ficavam a oeste, para além da praça. Muitas mulheres choravam e soltavam exclamações; outras, lívidas, estavam demasiadamente assustadas para dizerem o que quer que fosse.

Juvenal correu à casa de Bibiana e encontrou-a sentada, dando de comer aos filhos.

— Vamos embora daqui — disse ele com um tom de urgência na voz.

Bibiana ergueu os olhos, franziu a testa e respondeu:

— Eu vou ficar.

— Não vai ficar coisa nenhuma! Os farrapos vão entrar por aqui.

— É por isso mesmo.

— Mas é perigoso, Bibiana. Arrume as coisas e vamos pra minha casa.

Bibiana não se movia. O sino ainda badalava; era como uma voz pedindo socorro.

— Vou ficar.

— Está louca!

Juvenal começou a apanhar coisas ao acaso: um cobertor, um pacote de velas, um travesseiro...

— Vou esperar o Rodrigo.

Juvenal parou à frente da irmã e encarou-a.

— Rodrigo?

— Ele vem aí.

— Quem foi que disse?

— Eu sei.

— Ele escreveu? Mandou algum recado?

— Não.

— Então como é que vosmecê sabe?

— Uma coisa aqui dentro me diz que o Rodrigo vem aí. E que ainda hoje vou ver ele...

Juvenal sacudiu a cabeça, meio perdido. Largou o cobertor, as coisas que tinha na mão e disse:

— Não temos tempo a perder, Bibiana. Resolva duma vez.

— Já resolvi. Vou ficar.

— Então me deixe levar as crianças.

— O Rodrigo vai querer ver os filhos.

Juvenal perdia a paciência.

— Mas é uma loucura. Vosmecê vai arriscar a vida dos inocentes só porque...

Calou-se.

— Está bem, Juvenal. Pode levar as crianças. Mas eu fico.

O sino cessou de tocar. E de repente Bibiana sentiu que o silêncio era ainda mais medonho que o badalar do sino.

— É uma loucura! — exclamou Juvenal, compreendendo que seria inútil tentar levar a irmã dali.

— A guerra também é uma loucura. Tudo é uma loucura. Mas eu fico.

A capela estava cheia de gente, principalmente de mulheres. O vigário deu conselhos aos santa-fezenses, instruindo-os sobre o que deviam fazer na hora do combate, e pediu a Deus que protegesse Santa Fé e seus habitantes. Todos então começaram a rezar um padre-nosso em coro. A oração foi entrecortada de soluços. E, à ave-maria, quando estavam a dizer "agora e na hora de nossa morte...", ouviu-se ali na capela um grito agudo. Cabeças voltaram-se na direção do grito... Uma mulher estava caída ao chão, gemendo. Todos compreenderam imediatamente. Era Maria da Graça, a filha de Chico Pinto. "Ela vai ter a criança!", exclamou alguém. O pe. Lara mandou que todos saíssem da capela e fechou a porta, ficando ali apenas com Arminda Terra. Mandou chamar às pressas a mulata Teresa. E, quando esta veio e falou, o vigário sentiu-lhe o hálito recendente a cachaça. E ali mesmo na igreja Maria da Graça teve o filho. As pessoas que haviam ficado na praça ouviram-lhe os gritos: "Nossa Senhora me acuda! Nossa Senhora da Conceição!". E d. Arminda contou depois que a pobre moça passara o tempo todo com os olhos pregados na imagem da padroeira da vila.

Quando anoiteceu os habitantes de Santa Fé começaram a ouvir o pipocar do tiroteio. A praça ficou deserta, as casas fechadas. E o último sol daquela tarde de outono alumiou ruas mortas. Mas pelas frestas das janelas olhos espiavam para fora. De casa para casa, vizinhos trocavam impressões. E assim, por meio desse sistema de comunicação, naquele anoitecer eles fizeram correr pela vila as últimas notícias e boatos. O cel. Ricardo tinha mandado prender Pedro e Juvenal Terra, pois os dois se estavam preparando para se unirem aos farrapos.

A noite chegou, morna e estrelada. O tiroteio cessou, e o silêncio que se fez pareceu cheio de mau agouro. Duma das meias-águas da praça uma velha que vigiava a casa do cel. Amaral gritou para a casa vizinha: "Os legalistas chegaram. Parece que vão se entrincheirar no casarão". E ficou de olhos e ouvidos atentos. "Um homem disse que os farrapos já tomaram o cemitério", anunciou uma hora mais tarde. E dentro de poucos minutos quase toda a gente sabia do fato. Alguém comunicou que havia fogueiras no alto da coxilha do cemitério. "Vão acampar para passar a noite lá", opinavam uns. Outros diziam: "Vão atacar a vila ainda esta noite".

27

Sentada junto da mesa, no meio do quarto às escuras, Bibiana esperava com o coração a bater descompassado. Rodrigo se aproximava — pensava ela. Os soldados de Ricardo Amaral tinham recuado. Ela ia ver o marido. Aquela escuridão parecia pulsar também como um coração assustado. De quando em quando se ouvia lá fora uma voz de homem. Mas o que havia mesmo era o silêncio. E o seu coração louco parecia bater-lhe não só no peito, mas nas fontes, no pescoço, em todo o corpo. Às vezes tinha a impressão de que até a casa estremecia àquelas pulsações surdas. E assim ela como que via o tempo passar. Não podia fazer nada. Não queria acender a luz para não chamar a atenção dos legalistas, pois havia o perigo de eles entrarem e levarem-na dali à força. De súbito, num horror, Bibiana pensou que eles bem podiam estar preparando uma emboscada para Rodrigo. Sabiam que o capitão procuraria ver a família: podiam ficar entrincheirados, escondidos nas casas vizinhas, empoleirados nas árvores do quintal e, quando ele se aproximasse, fariam fogo. Ou então — muito pior — o prenderiam para o degolar. Ela sabia de histórias horríveis daquela guerra... O melhor que tinha a fazer era ficar alerta e gritar para Rodrigo que tomasse cuidado. Mas quem é que lhe garantiria que Rodrigo estava com os atacantes?

Um cachorro começou a uivar — um uivo prolongado, tremido, triste, triste, triste. Bibiana de repente sentiu frio, tanto frio que pensou em enrolar-se num xale. Mas não teve coragem de fazer o menor movimento. Ficou onde estava, toda encolhida, agora com os braços cruzados, apertados contra o peito. A cabeça começava a doer-lhe. Decerto eram as marteladas do sangue. Ou então o medo, a aflição...

Ouviu um tropel. E três tiros, bem destacados, não muito longe. Devia ir para baixo da mesa? Esconder-se atrás do armário? Era melhor. Mas não fez nada. Ficou imóvel, escutando não só com os ouvidos, mas com todo o corpo. Achou que só tinha uma coisa a fazer. Rezar. Começou a dizer: "Ave Maria cheia de graça...". E seus lábios se moviam, e ela murmurava a oração como se estivesse cochichando ao ouvido da santa. Disse uma salve-rainha, e depois um padre-nosso, mas ia repetindo as palavras sem prestar atenção nelas, pensando todo o tempo no marido. Queria vê-lo mais uma vez, só uma vez. Deus não ia ser tão mau que não lhe permitisse essa alegria. Ela já nem ousava pedir o impossível: que a guerra terminasse e Rodrigo voltasse para casa. Isso era demais. Bibiana sabia que as coisas boas nunca aconteciam. Por isso nem pedia. Mas queria ver o marido naquela noite. E continuava a balbuciar as orações.

Quanto tempo ficou ali sentada, esperando, rezando, temendo e sofrendo? Duas horas? Três? Perdera a noção do tempo. Talvez fossem dez da noite. Mas o dia também podia estar raiando. Ela já não sabia de mais nada. O tiroteio recomeçara, cerrado, havia pouco, e muito próximo. Ela ouvira vozes exaltadas na rua. E agora de novo estava tudo quieto.

De repente, uma voz lá fora:

— Bibiana!

A voz de Rodrigo! Bibiana teve um sobressalto. E imediatamente achou que estava dormindo e que aquilo era um sonho. Mas estava bem acordada... Sentia a dureza da mesa sob os cotovelos. Ela estava mas era louca, ouvindo vozes. Agora ouvia também passos... passos no quintal. Começou a tremer, a bater dentes e teve de fazer um esforço enorme para não gritar.

"Bibiana!", outra vez a voz.

Então se levantou, aérea, foi até a porta, abriu-a e viu um vulto no quintal.

— Bibiana!

O vulto aproximou-se. Agora ela lhe via o rosto à luz do luar. Era Rodrigo, sim, mas ela não podia acreditar.

O marido tomou-a nos braços, beijou-lhe o rosto. Os lábios dela permaneceram moles, inertes. Ele lhe dizia coisas, ela sentia nas faces a aspereza de suas barbas... Deixou-se levar para dentro de casa. Rodrigo acendeu uma vela e Bibiana viu-lhe o rosto à luz da chama. Aqueles olhos... Ficou meio estupidificada, olhando para seu homem que lhe fazia perguntas apressadas. E os filhos? E Juvenal? Onde estavam?

Ouviram uma batida.

— Quem é lá?

— Sou eu. O Quirino.

Rodrigo abriu a porta e Bibiana ouviu o desconhecido dizer:

— Estão entrincheirados no casarão.

— Está bem — gritou Rodrigo. — Cerquem aquele chiqueiro por todos os lados, tomem posição, mas não deem nenhum tiro. Daqui a pouco vou assumir o comando.

Rodrigo tornou a fechar a porta. Voltou-se para Bibiana e de novo a tomou nos braços. E, quando ela conseguiu falar, a primeira coisa que lhe ocorreu perguntar foi:

— Está com fome?

— Estou, minha prenda. Mas isso não é o mais importante.

— Está muito cansado?

— Estou mas não há de ser nada. Ainda tenho serviço para esta noite. Só vou dormir depois que tomar o casarão e prender os Amarais, o pai e o filho.

— Cuidado, Rodrigo!

Bibiana sentiu que ele estava inquieto e que não o teria consigo por muito tempo. O silêncio continuava lá fora. Nos braços do marido agora ela sentia o calor voltar-lhe ao corpo, e a pressão dos braços dele lhe fazia bem, dava-lhe uma sensação de segurança, de proteção.

Atabalhoadamente ele lhe contou coisas: o que fizera naqueles meses, os lugares por onde andara, os combates em que tomara parte. Não chegava a terminar as frases que principiava. Gesticulava muito e olhava de instante a instante para a porta. De repente mudou de tom e disse:

— Tenho de terminar aquele servicinho. Parece mentira que foi preciso uma guerra civil para eu poder botar o rabinho no *R* da cara do Bento.

— Rodrigo!

Ele a tranquilizou com um sorriso.

— Estou brincando, minha prenda. A cara daquele canalha não me interessa agora. Mas precisamos tomar o casarão.

Apertou mais forte a mulher contra o peito e beijou-lhe a boca longamente. Suas mãos correram pelas costas de Bibiana, seus dedos lhe prenderam a saia, começaram a erguê-la. Bibiana compreendeu e disse um não sem desmanchar o beijo, um não abafado, pronunciado dentro da boca do marido. Repetiu o não enquanto ele a empurrava na direção da cama. Continuou a dizer não. Agora ele a levava erguida nos braços. Já deitada na cama, ela ainda relutou.

— Agora não, Rodrigo.

Mas ele não lhe deu ouvidos. Tirou o chapéu da cabeça e atirou-o ao chão; deitou-se ao lado da mulher e assim vestido como estava, sem ao menos tirar as botas, tornou a enlaçá-la com os braços.

E momentos depois, quando o teve deitado a seu lado, meio arquejante, Bibiana passou-lhe as mãos pelos cabelos e disse:

— O pobre do meu filho deve estar cansado...

Por um momento Rodrigo nada disse. Depois, suspirou fundo e murmurou:

— Estou com um sono medonho. Se eu pudesse dar uma cochilada...

Ouviram-se passos. O coração de Bibiana começou a bater acelerado. Uma voz:

— Capitão, está tudo pronto!

— É o Quirino — disse Rodrigo, baixinho. Depois, gritou: — Já vou indo!

Saltou da cama, botou o chapéu. Bibiana também se ergueu e se aproximou do marido, agora mais infeliz que nunca.

— Por amor de nossos filhos, Rodrigo, tenha cuidado.

Ele tornou a beijá-la na testa, nos cabelos, na boca, dizendo:

— A vida vale mais que uma ponchada de onças. A gente passa trabalho numa guerra, mas se diverte muito.

Apanhou a espada que deixara sobre a mesa, e exclamou:

— Me frita uma linguiça que eu já volto. Até logo, minha prenda!

Precipitou-se para fora. Montou o cavalo e voltou a cabeça na direção de sua casa. Vislumbrou o vulto da mulher no desvão da porta e gritou-lhe:

— Cuidado com alguma bala perdida!

28

Antes de começar o ataque ao casarão, Rodrigo foi à casa do vigário.

— Padre! — gritou, sem apear. Esperou um instante. Depois: — Padre!

A porta da meia-água abriu-se e o vigário apareceu.

— Capitão! — exclamou ele, aproximando-se do amigo e erguendo a mão, que Rodrigo apertou com força.

— Foi só para saber se vosmecê estava aqui ou lá dentro do casarão. Eu não queria lastimar o amigo...

— Muito obrigado, Rodrigo, muito obrigado. — O pe. Lara sacudiu a cabeça, desalentado. — Vosmecê vai perder muita gente, capitão. Os Amarais são cabeçudos e têm muita munição.

— Eu também sou cabeçudo e tenho muita munição.

— Por que não espera o amanhecer?

Rodrigo deu de ombros.

— Pra não deixar a coisa esfriar.

— Olhe aqui. Vou lhe dar uma ideia. Antes de começar o assalto, por que vosmecê não me deixa ir ao casarão ver se o coronel Amaral consente em se render para evitar uma carnificina?

— Não, padre. "Não faças aos outros aquilo que não queres que te façam a ti." Não é isso que dizem as Escrituras? Se alguém me convidasse pra eu me render, eu ficava ofendido. Um homem não se entrega.

— Mas não há nenhum desdouro. Isto é uma guerra entre irmãos.

— São as mais brabas, padre, são as mais brabas.

De cima do cavalo Rodrigo ouvia a respiração chiante e irregular do sacerdote. Lembrou-se das muitas conversas que tiveram noutros tempos.

— Vosmecê é um homem impossível... — disse o padre, desolado.

— Acho que esta noite vou dormir na cama do velho Ricardo. — Sorriu. — Mas sem a mulher dele, naturalmente... E amanhã de manhã quero mandar um próprio levar ao Chefe a notícia de que Santa Fé é nossa. A Província toda está nas nossas mãos. Desta vez os legalistas se borraram! Até logo, padre.

Apertaram-se as mãos.

— Tome cuidado, capitão. Vosmecê se arrisca demais.

— Ainda não fabricaram a bala que há de me matar — gritou Rodrigo, dando de rédea.

— A gente nunca sabe — retrucou o padre.
— E é melhor que não saiba, não é?
— Deus guie vosmecê!
— Amém! — replicou Rodrigo, por puro hábito, pois aprendera a responder assim desde menino.

O padre viu o capitão dirigir-se para o ponto onde um grupo de seus soldados o esperava. A noite estava calma. Galos de quando em quando cantavam nos terreiros. Os galos não sabem de nada — refletiu o padre. Sempre achara triste e agourento o canto dos galos. Era qualquer coisa que o lembrava da morte. Voltou para casa, fechou a porta, deitou-se na cama com o breviário na mão, mas não pôde orar. Ficou de ouvido atento, tomado duma curiosa espécie de medo. Não era medo de ser atingido por uma bala perdida. Não era medo de morrer. Não era nem medo de sofrer na carne algum ferimento. Era medo do que estava para vir, medo de ver os outros sofrerem. No fim de contas — se esmiuçasse bem —, o que ele tinha mesmo era medo de viver, não de morrer.

O tiroteio começou. A princípio ralo, depois mais cerrado. O padre olhava para seu velho relógio: uma da madrugada. Apagou a vela e ficou escutando. Havia momentos de trégua, depois de novo recomeçavam os tiros. E assim o combate continuou madrugada adentro. Finalmente se fez um longo silêncio. As pálpebras do padre caíram e ele ficou num estado de madorna, que foi mais uma escura agonia do que repouso e esquecimento.

O dia raiava quando lhe vieram bater à porta. Foi abrir. Era um oficial dos farrapos cuja barba negra contrastava com a palidez esverdinhada do rosto. Tinha os olhos no fundo e foi com a voz cansada que ele disse:
— Padre, tomamos o casarão. Mas mataram o capitão Rodrigo — acrescentou, chorando como uma criança.
— Mataram?

O vigário sentiu como que um soco em pleno peito e uma súbita vertigem. Ficou olhando para aquele homem que nunca vira e que agora ali estava, à luz da madrugada, a fitá-lo como se esperasse dele, sacerdote, um milagre que fizesse ressuscitar Rodrigo.
— Tomamos o casarão de assalto. O capitão foi dos primeiros a pular a janela. — Calou-se, como se lhe faltasse fôlego. — Uma bala no peito...
O padre mirava-o, estupidificado, pensando em Bibiana.

— E os Amarais?

— O coronel Ricardo morreu peleando. O filho fugiu.

O padre sacudia devagarinho a cabeçorra, como que recusando aceitar aquela desgraça.

— Eu queria que vosmecê fosse dar a notícia à mulher do capitão — pediu o oficial.

O vigário saiu de casa e começou a andar na direção da praça quase sem saber o que fazia. O homem caminhava a seu lado e houve um momento em que murmurou:

— Meu nome é Quirino. Quirino dos Reis. Conheci o capitão no Rio Pardo. Brigamos juntos nas forças de Antônio Vicente da Fontoura...

A praça na luz lívida. A figueira, como uma pessoa, grande, triste e escura. Lá do outro lado, o casarão...

— Perderam muita gente? — perguntou o padre com voz tão fraca que o outro não ouviu e ele teve de repetir a pergunta.

— Perdemos seis homens e temos uns quinze feridos. Dos caramurus... nem contei. Mas fizemos uns trinta prisioneiros desde o primeiro combate até a tomada do casarão...

O pe. Lara caminhava na direção da casa de Bibiana. Como havia de lhe transmitir a notícia? Dizer tudo de chofre? Ou primeiro mentir que o capitão estava ferido... gravemente, e depois, aos poucos, preparar-lhe o espírito para o pior? Talvez ela lesse no rosto dele o que havia acontecido. Talvez já tivesse adivinhado tudo. Essas mulheres às vezes têm uma intuição dos diachos...

— ... mas era um homem — murmurava Quirino.

— Hein?

— Estou dizendo que o capitão Rodrigo era um homem. O general Bento Gonçalves vai ficar muito triste. — Soltou um suspiro. — Tenho a consciência tranquila. Eu bem que avisei o capitão. Era loucura tomar o casarão de assalto. Eles iam acabar se entregando. Era só esperar. Mas qual! O capitão queria porque queria. — Suspirou, depois abriu a boca num grande bocejo que pareceu um ronco de animal. A seguir acrescentou: — Nunca vi cristão que gostasse mais de brigar que o capitão Rodrigo!

E o pe. Lara, que já avistava a casa de Bibiana, murmurou mais para si mesmo que para o outro:

— Era um homem impossível.

Disse isso com uma certa ternura zangada, e as lágrimas começaram a escorrer-lhe frias pela face.

Os mortos foram sepultados naquele mesmo dia. Quase toda a população de Santa Fé foi ao enterro do cap. Rodrigo Cambará, levando-lhe o caixão a pulso até o cemitério. Pedro e Juvenal Terra ajudaram a descê-lo à cova, e todos fizeram questão de atirar um punhado de terra em cima dele.

De volta do cemitério, por longo tempo Pedro Terra caminhou em silêncio ao lado do filho. De vez em quando seu olhar se perdia campo em fora.

— Este ia ser um bom ano para o trigo — disse ele, brincando com a corrente do relógio.

Ele não se esquece — pensou Juvenal, sacudindo a cabeça. Quis falar em Rodrigo, mas não teve coragem.

— Até quando irá durar esta guerra? — perguntou.

— Só Deus sabe.

Juvenal olhava para o casarão de Santa Fé, do qual aos poucos se aproximavam. Os telhados escuros estavam lavados de sol. Havia no ar um cheiro de folhas secas queimadas. Ao redor da vila estava tudo tão verde, tão claro e tão alegre que nem parecia que a guerra continuava. Juvenal não podia tirar da cabeça a imagem do cunhado. E não conseguia convencer-se de que ele estava morto, não podia mais rir, nem comer, nem amar, nem falar, nem brigar. Morto, apodrecendo debaixo da terra... Lembrou-se do primeiro dia em que o vira. "Buenas e me espalho! Nos pequenos dou de prancha e nos grandes dou de talho." E se viu a si mesmo saltar dum canto, de faca em punho: "Pois dê". Aqueles olhos de águia, insolentes e simpáticos... O mundo era mesmo bem triste!

Pedro fez alto e olhou para uma grande paineira florida que se erguia na boca duma das ruas.

— Tinha mais gente no enterro do capitão Rodrigo que no do coronel Ricardo — observou ele como se estivesse falando com a árvore.

— Rei morto, rei posto — refletiu Juvenal.

Retomaram a marcha e Pedro Terra foi dizendo:

— Mas tenho pena é desses soldados dos Amarais que morreram e foram enterrados de cambulhada num valo, sem caixão nem nada. Eram uns pobres coitados. Muitos até ninguém sabe direito como se chamavam. Não podem nem avisar as famílias. Foram enterrados como cachorros.

— É a guerra.

— Eu só queria saber quantas guerras mais ainda tenho de ver.

Um quero-quero soltou o seu guincho agudo e repetido, que deu a Pedro Terra uma súbita vontade de chorar.

Quando o Dia de Finados chegou, Bibiana foi pela manhã ao cemitério com os dois filhos. Estava toda de preto e agora, passado o desespero dos primeiros tempos, sentia uma grande tranquilidade. Ficou por muito tempo sentada junto da sepultura do marido, enquanto Bolívar e Leonor brincavam correndo por entre as cruzes ou então se acocoravam e se punham a esmagar formigas com as pontas dos dedos. Mentalmente Bibiana conversava com Rodrigo, dizia-lhe coisas. Seus olhos estavam secos. Às vezes parecia que ela toda estava seca por dentro, incapaz de qualquer sentimento. No entanto, a vida continuava, e a guerra também.

A Câmara Municipal de Santa Fé tinha aderido à revolução. O velho Ricardo Amaral estava morto. Bento havia emigrado para o Paraguai com a mulher e o filho. Diziam que os imperiais tinham de novo tomado Porto Alegre. Bibiana não sabia nem queria saber se aquilo era verdade ou não. Não entendia bem aquela guerra. Uns diziam que os farrapos queriam separar a Província do resto do Brasil. Outros afirmavam que eles estavam brigando porque amavam a liberdade e porque tinham sido espezinhados pela Corte. Só duma coisa ela tinha certeza: Rodrigo estava morto e rei nenhum, santo nenhum, deus nenhum podia fazê-lo ressuscitar. Outra verdade poderosa era a de que ela tinha dois filhos e havia de criá-los direito, nem que tivesse de suar sangue e comer sopa de pedra. O pai convidava-a a voltar para casa. Mas ela queria ficar onde estava. Era o seu lar, o lugar onde tinha sido feliz com o marido.

Bibiana olhou para a sepultura de Ana Terra e achou estranho que Rodrigo estivesse agora "morando" tão pertinho da velha. E não deixava de ser ainda mais estranho estarem os dois à sombra do jazigo perpétuo da família Amaral, onde se achavam os restos mortais do cel. Ricardo. Agora estavam todos em paz.

Bibiana levantou-se. Era hora de voltar para casa, pois em breve o cemitério estaria cheio de visitantes, e ela detestava que lhe viessem falar em Rodrigo com ar fúnebre. Não queria que ninguém a encontrasse ali. Em breve tiraria o luto do corpo: vestira-se de preto porque era um costume antigo e porque ela não queria dar motivo para falatório. Mas no fundo achava que luto era uma bobagem. Afinal de contas para ela o marido estava e estaria sempre vivo. Homens como ele não morriam nunca.

Ergueu Leonor nos braços, segurou a mão de Bolívar, lançou um último olhar para a sepultura de Rodrigo e achou que afinal de contas tudo estava bem.

Podiam dizer o que quisessem, mas a verdade era que o cap. Cambará tinha voltado para casa.

Sobre *Um certo capitão Rodrigo*

Do ponto de vista cronológico, *Um certo capitão Rodrigo* é o terceiro episódio do primeiro volume de *O Continente*, parte da trilogia *O tempo e o vento*, que compreende também *O Retrato* (parte II) e *O arquipélago* (parte III).

A ação de *Um certo capitão Rodrigo* inicia em outubro de 1828, quando Rodrigo chega à cidade de Santa Fé, depois do fim de uma das tantas guerras contra "os castelhanos" da Banda Oriental, nome antigo que se dava ao território onde hoje é o Uruguai.

Nos episódios anteriores, Erico Verissimo conta a origem do Rio Grande do Sul e da família Terra. Quase um século antes, em 1745, nascera na missão de São Miguel um mestiço, Pedro Missioneiro, filho de mãe índia, que morrera no parto, e de pai luso-brasileiro — algum "vicentista", como se dizia na época.

Os padres acolheram o recém-nascido, que crescera instruído pelo padre Alonzo. O garoto aprendera a ler e se iniciara em algumas artes, como a poesia e a música. Perspicaz, conhecera matemática e línguas, inclusive o latim. Desde criança, dizia ter visões e conversar com Nossa Senhora.

Em 1756, a região das missões, entre elas a de São Miguel, foi destruída para cumprir o Tratado de Madri, que cedia aquelas terras ao Império português. Pedro Missioneiro fugiu, levando consigo um punhal de prata que pertencera ao padre Alonzo.

Alguns anos depois, em 1777, Ana Terra encontrou Pedro Missioneiro ferido e desmaiado perto de uma sanga. A família de Ana, chefiada pelo pai, Maneco Terra, acolheu o mestiço, a quem chamavam de "índio" ou "bugre". Após uma repulsa inicial, a moça se apaixonou por Pedro e engravidou. Ao descobrir o romance, o Maneco ordenou que os filhos matassem Pedro.

Afastada da família, que passara a ignorá-la depois do nascimento do menino, Ana se mostrou corajosa e cuidou sozinha do filho, a quem deu o mesmo nome do pai. No verão de 1789 para 1790, bandidos castelhanos arrasaram a estância de Maneco Terra e mataram todos os homens adultos. Ana foi violentada pelos assaltantes, mas com isso acabou por distraí-los e impediu que descobrissem a cunhada e as crianças.

Desamparada, seguiu com Pedrinho, a cunhada e a sobrinha para as terras do poderoso Amaral, que estava fundando uma vila, Santa Fé. Pedro Terra se casou com Arminda, com quem tem os filhos Juvenal e Bibiana — a moça que encantou o capitão Rodrigo à primeira vista. Ana Terra morreu em 1825.

Cronologia

Esta cronologia relaciona fatos históricos a acontecimentos ficcionais de *Um certo capitão Rodrigo*.

1815

Derrota de Napoleão em Waterloo
e consolidação, na Europa,
do predomínio da Santa Aliança
(Rússia, Prússia e Império
Austro-Húngaro) e da Inglaterra.

1816

Novas lutas e incursões de tropas
portuguesas na região do Prata.
A campanha se estende até 1820
e o Uruguai é anexado ao Brasil
com o nome de província Cisplatina.

1820

Revolução liberal
e constitucionalista em Portugal,
na cidade do Porto. O movimento
repercute no Brasil, inclusive
em Porto Alegre.

1821

D. João VI retorna a Portugal e aceita
a nova Constituição.

1821

O cap. Rodrigo participa da agitação
popular e militar em Porto Alegre.

1822

O príncipe regente d. Pedro I
proclama a independência do Brasil.

1824

Primeira Constituição do Império
do Brasil. Revolta liberal em
Pernambuco, onde é fundada
a Confederação do Equador.
Na repressão subsequente, o frei
Caneca do Amor Divino é fuzilado,
no começo de 1825.

No Rio Grande do Sul chegam os primeiros colonos alemães.

1825

O caudilho Juan Lavalleja começa a luta pela independência do Uruguai. Nova mobilização brasileira para intervir no Prata.

1827

Os brasileiros são derrotados na Batalha de Passo do Rosário, ou de Ituzaingó.

1828

Com pressão da Inglaterra, Brasil e Argentina reconhecem a independência do Uruguai.

1831

D. Pedro I abdica em favor de seu filho e retorna a Portugal.

1834

Os coronéis Bento Gonçalves da Silva e Bento Manuel Ribeiro são acusados de manter ligações inconvenientes

1825

Morte de Ana Terra.

1828

Em fim de outubro, chega a Santa Fé o cap. Rodrigo Severo Cambará. No Dia de Finados ele vê Bibiana Terra pela primeira vez.

1829

Duelo entre Rodrigo Cambará e Bento Amaral. No Natal, Rodrigo e Bibiana casam-se.

1830

No Dia de Finados, nasce Bolívar Cambará, filho de Rodrigo e Bibiana.

1833

Nascimento de Luzia Silva, futura mulher de Bolívar Cambará. Chegam a Santa Fé os primeiros imigrantes alemães.

com políticos e militares uruguaios. Depois são absolvidos.

1835

Cresce a insatisfação no Rio Grande do Sul. Em 20 de setembro, Bento Gonçalves toma Porto Alegre e depõe Fernandes Braga. Começa a Revolução Farroupilha. No Pará eclode a revolta conhecida como Cabanada.

1836

Na Corte formam-se os partidos Conservador e Liberal. Os imperiais retomam Porto Alegre. Em represália, depois da Batalha do Seival, gen. Antonio de Souza Netto proclama a República Rio-Grandense, em 11 de setembro. Em outubro, o general Bento Gonçalves é aprisionado por Bento Manuel, que mudara de lado, e vai para o Rio de Janeiro.

1837

Depois de ser mandado para o Forte do Mar, na Bahia, Bento Gonçalves foge com ajuda da maçonaria e volta para o Rio Grande do Sul, onde assume a presidência da República Rio-Grandense ou Farroupilha. Ainda na prisão no Rio de Janeiro, conhece o italiano Giuseppe Garibaldi, que adere à causa farroupilha.

1835

O cap. Rodrigo parte para se juntar às tropas de Bento Gonçalves da Silva. Os Amarais permanecem fiéis ao Império e dominam Santa Fé.

1836

O cap. Rodrigo retorna a Santa Fé para tomá-la. Morre no assalto ao casarão dos Amarais. O cel. Ricardo Amaral também morre. Bento Amaral foge para o Paraguai.

1838

O governo da República Rio-Grandense funda o jornal *O Povo*, dirigido pelo italiano Luigi Rossetti. Começa na Bahia a revolta conhecida como Sabinada, liderada pelo médico dr. Francisco Sabino da Rocha Vieira, que ajudou Bento Gonçalves a fugir.

1839

Os republicanos invadem Santa Catarina e tomam Laguna, proclamando a República Juliana, confederada à Rio-Grandense. A República durará quatro meses. Em novembro a Marinha Imperial retoma Laguna. Nessa passagem Garibaldi conhece Anita, "a heroína de dois mundos" e se junta a ela.

1840

Maioridade de d. Pedro II, que assume o trono e põe fim ao período regencial.

1841

Garibaldi vai para Montevidéu com Anita.

1842

Eclode a Revolta Liberal em Minas Gerais e São Paulo, em junho. Chega-se a pensar numa aliança entre as revoltas do Sul e do Centro do país. Caxias neutraliza mineiros e paulistas, e é enviado ao Rio Grande do Sul.
No Prata, recrudescem as lutas, agora

entre Rosas, de Buenos Aires, e uruguaios, que querem manter a independência. Garibaldi adere aos uruguaios. As potências europeias, sobretudo a Inglaterra, querem garantir a livre navegação no rio da Prata. A diplomacia brasileira também age na região.

1843

Divididos, os republicanos rio-grandenses iniciam o debate sobre a Constituição, que não será proclamada.

1844

Gen. Bento Gonçalves e cel. Onofre Pires batem-se em duelo. Ferido, o coronel morrerá de gangrena. Bento Gonçalves deixa a presidência da República Rio-Grandense. As forças de Davi Canabarro são surpreendidas e derrotadas em cerro dos Porongos. Os imperiais apresam armamento, cavalos, bandeiras e o arquivo dos farroupilhas. O major Vicente da Fontoura segue para o Rio de Janeiro, a fim de negociar a paz.

1845

Em 25 de fevereiro, em Ponche Verde, é assinada a paz entre o Império e os revoltosos. Embora assine o documento, gen. Antonio de Souza Netto declara-se pela continuação da luta, e se exila no Uruguai.

Biografia de Erico Verissimo

Erico Verissimo nasceu em Cruz Alta (RS), em 1905, e faleceu em Porto Alegre, em 1975. Na juventude, foi bancário e sócio de uma farmácia. Em 1931 casou-se com Mafalda Halfen von Volpe, com quem teve os filhos Clarissa e Luis Fernando. Sua estreia literária foi na *Revista do Globo*, com o conto "Ladrões de gado". A partir de 1930, já radicado em Porto Alegre, tornou-se redator da revista. Depois, foi secretário do Departamento Editorial da Livraria do Globo e também conselheiro editorial, até o fim da vida.

A década de 30 marca a ascensão literária do escritor. Em 1932 ele publica o primeiro livro de contos, *Fantoches*, e em 1933 o primeiro romance, *Clarissa*, inaugurando um grupo de personagens que acompanharia boa parte de sua obra. Em 1938, tem seu primeiro grande sucesso: *Olhai os lírios do campo*. O livro marca o reconhecimento de Erico no país inteiro e em seguida internacionalmente, com a edição de seus romances em vários países: Estados Unidos, Inglaterra, França, Itália, Argentina, Espanha, México, Alemanha, Holanda, Noruega, Japão, Hungria, Indonésia, Polônia, Romênia, Rússia, Suécia, Tchecoslováquia e Finlândia. Erico escreve também livros infantis, como *Os três porquinhos pobres*, *O urso com música na barriga*, *As aventuras do avião vermelho* e *A vida do elefante Basílio*.

Em 1941 faz uma viagem de três meses aos Estados Unidos a convite do Departamento de Estado norte-americano. A estada resulta na obra

Gato preto em campo de neve, primeira de uma série de livros de viagens. Em 1943, dá aulas na Universidade de Berkeley. Volta ao Brasil em 1945, no fim da Segunda Guerra Mundial e do Estado Novo. Em 1953 vai mais uma vez aos Estados Unidos, como diretor do Departamento de Assuntos Culturais da União Pan-Americana, secretaria da Organização dos Estados Americanos (OEA).

Em 1947 Erico Verissimo começa a escrever a trilogia *O tempo e o vento*, cuja publicação só termina em 1962. Recebe vários prêmios, como o Jabuti e o Pen Club. Em 1965 publica *O senhor embaixador*, ambientado num hipotético país do Caribe que lembra Cuba. Em 1967 é a vez de *O prisioneiro*, parábola sobre a intervenção dos Estados Unidos no Vietnã. Em plena ditadura, lança *Incidente em Antares* (1971), crítica ao regime militar. Em 1973 sai o primeiro volume de *Solo de clarineta*, seu livro de memórias. Morre em 1975, quando terminava o segundo volume, publicado postumamente.

Obras de Erico Verissimo

Fantoches [1932]
Clarissa [1933]
Música ao longe [1935]
Caminhos cruzados [1935]
Um lugar ao sol [1936]
Olhai os lírios do campo [1938]
Saga [1940]
Gato preto em campo de neve [narrativa de viagem, 1941]
O resto é silêncio [1943]
Breve história da literatura brasileira [ensaio, 1944]
A volta do gato preto [narrativa de viagem, 1946]
As mãos de meu filho [1948]
Noite [1954]
México [narrativa de viagem, 1957]
O senhor embaixador [1965]
O prisioneiro [1967]
Israel em abril [narrativa de viagem, 1969]
Um certo capitão Rodrigo [1970]
Incidente em Antares [1971]
Ana Terra [1971]
Um certo Henrique Bertaso [biografia, 1972]
Solo de clarineta [memórias, 2 volumes, 1973, 1976]

O TEMPO E O VENTO

Parte I: *O Continente* [2 volumes, 1949]
Parte II: *O Retrato* [2 volumes, 1951]
Parte III: *O arquipélago* [3 volumes, 1961-1962]

OBRA INFANTOJUVENIL

A vida de Joana D'Arc [1935]
Meu ABC [1936]
Rosa Maria no castelo encantado [1936]
Os três porquinhos pobres [1936]
As aventuras do avião vermelho [1936]
As aventuras de Tibicuera [1937]
O urso com música na barriga [1938]
Outra vez os três porquinhos [1939]
Aventuras no mundo da higiene [1939]
A vida do elefante Basílio [1939]
Viagem à aurora do mundo [1939]
Gente e bichos [1956]